La collection « Quai n° 5 »
est dirigée par Tristan Malavoy-Racine.

Les fantômes fument en cachette

Miléna Babin

Les fantômes fument en cachette

roman

QUAI
Nº
5

Catalogage avant publication de Bibliothèque et Archives nationales du Québec et Bibliothèque et Archives Canada

Babin, Miléna

    Les fantômes fument en cachette

    (Quai n° 5)

    ISBN 978-2-89261-823-5

    I. Titre. II. Collection: Quai n° 5.

PS8603.A265F36 2014   C843'.6   C2013-942656-6

PS9603.A265F36 2014

Les Éditions XYZ bénéficient du soutien financier des institutions suivantes pour leurs activités d'édition:

- Conseil des arts du Canada;
- Gouvernement du Canada par l'entremise du Fonds du livre du Canada (FLC);
- Société de développement des entreprises culturelles du Québec (SODEC);
- Gouvernement du Québec par l'entremise du programme de crédit d'impôt pour l'édition de livres.

Édition: Tristan Malavoy-Racine

Révision linguistique: Michel Rudel-Tessier

Correction d'épreuves: Élaine Parisien

Conception typographique et montage: Édiscript enr.

Conception et graphisme de la couverture: David Drummond [salamanderhill.com]

Photographie de l'auteure: Jorge Camarotti

L'extrait de la chanson *Ne reviens pas* (Salomé Roux Leclerc) est reproduit avec l'autorisation d'Editorial Avenue.

ISBN version imprimée: 978-2-89261-823-5

ISBN version numérique (PDF): 978-2-89261-824-2

ISBN version numérique (ePub): 978-2-89261-825-9

Dépôt légal: 1er trimestre 2014

Bibliothèque et Archives nationales du Québec

Bibliothèque et Archives Canada

Diffusion/distribution au Canada:

Distribution HMH

1815, avenue De Lorimier

Montréal (Québec) H2K 3W6

www.distributionhmh.com

Diffusion/distribution en Europe:

Librairie du Québec/DNM

30, rue Gay-Lussac

75005 Paris, FRANCE

www.librairieduquebec.fr

Imprimé au Canada

www.quaino5.com

À Olivier Lachance,
pour m'avoir montré le chemin jusqu'à moi.

T'as qu'à ne pas te tourner
Tu ne me verras jamais ramper
dans la boue

T'as qu'à éteindre le jour
Pour ne pas voir les morsures
à mon cou

Va déposer les armes, au fond
des bois
Surtout ne reviens pas

SALOMÉ LECLERC, *Ne reviens pas*

Chapitre 1

J'avais rêvé de Fred pour la troisième nuit consécutive. Je m'étais endormie en m'imaginant le bout de son index qui se posait méticuleusement sur chacune de mes vertèbres en attendant que la nuit nous engouffre toutes les deux. Ce rituel datait d'aussi longtemps que notre relation et s'inscrivait parmi les rares choses capables de venir à bout de mon insomnie. Je me suis étiré les jambes à la recherche de ses chevilles délicates, mais la seule chose contre laquelle je me suis heurtée produisait incontestablement de la testostérone. J'ai entrouvert mon œil droit pour mesurer l'ampleur des dégâts. Black-out.

Mis à part cet horrible tatouage de dragon qui lui recouvrait la partie inférieure du bras, le premier coup d'œil était prometteur. Alors que je cherchais un bout de tissu pour me couvrir jusqu'à la salle de bain, il s'est levé en bâillant et est sorti de la chambre. Je l'ai regardé traverser le corridor avec assurance, puis l'ai écouté déverser dans la cuvette l'équivalent de ce que j'avais pu ingurgiter d'alcool dans les deux dernières semaines. Il a regagné mon lit en prenant soin de m'adresser un sourire qui m'a laissée entrevoir ses yeux légèrement bridés. J'ai osé un timide « salut » qui ne m'a valu qu'un deuxième sourire en retour. Après avoir tenté un premier contact dans quelques langues sans jamais obtenir de résultat, j'ai agrippé ses jeans qui gisaient sur le plancher pour fouiller dans son portefeuille. J'étais peu avancée : des centaines de caractères chinois tapissaient toutes ses cartes.

Il a sorti une cigarette de mon paquet. Je me suis dirigée vers la cuisine pour lui faire un café dans un verre à emporter, ce qui me semblait être la façon la plus polie de lui demander de déguerpir. Je l'ai retrouvé assis au même endroit, deux cigarettes plus tard. J'ai posé le café sur la table de chevet et lui ai tapoté l'épaule avant de sauter sous la douche.

En regagnant ma chambre désormais vide, je me suis dépêchée d'entamer ce café dont il n'avait pas daigné prendre la moindre gorgée. L'énigmatique amant s'était barré avec mon paquet de cigarettes.

Je me suis installée dans le salon pour jeter un dernier coup d'œil au contrat de révision sur lequel je travaillais depuis un mois. J'étais devenue spécialiste des guitares Godin. Pourquoi choisir une touche en palissandre indien plutôt qu'en érable dur ? Quelle est la différence entre une sortie magnétique et un accès synthé ? Selon quels critères évalue-t-on un *solid-body* ? De façon générale, je m'intéressais davantage au solide *body* qui se trouvait derrière la guitare.

Envoyer.

J'ai avalé d'un coup ma dernière gorgée de café devenu froid avant de ramasser la dizaine de livres de référence qui traînaient de mon lit jusqu'au canapé du salon. J'ai laissé Damien Rice terminer sa chanson avant de prendre mes messages.

You can brave decisions
Before you crumble up inside
Spend your time asking everyone else's permission
Then run away and hide

«Vous avez un nouveau message. "Bonjour madame Labrecque, ici Renaud-Bray Laurier, j'appelle pour vous dire que le livre *Chercher le vent* que vous avez commandé est arrivé." Pour effacer ce message, appuyez sur le sept.»

La seule chose qui me motivait à sortir de chez moi était cette histoire de livre puisque, curieusement, je n'avais rien commandé. J'ai rempli les bols du chat, enfilé mes Converse, et je suis sortie. Comme à l'habitude, j'ai monté un étage pour coller l'oreille contre la porte de chez Murielle. Elle entretenait encore une fois une conversation à sens unique avec Mozart, son chat aveugle. J'ai repris mon chemin, davantage attendrie qu'inquiète. J'ai marché rue Cartier en évitant les craques de trottoir, puis j'ai sauté dans le premier autobus vers la Place Laurier. Après avoir passé le trajet coincée entre deux ados qui se textaient l'un l'autre, tout, même cette canicule inattendue pour la mi-août qui s'affairait sur la Vieille Capitale, me semblait invitant.

L'air conditionné des centres commerciaux avait attiré beaucoup de gens accablés par la chaleur et, comme plusieurs, j'ai fait la file devant le Café Dépôt pour une bouteille d'eau trop chère. Je commençais à me rapprocher de la caisse quand l'animatrice radio nous a annoncé la demande spéciale de Nathalie. Je n'ai jamais été une fille bien solidaire : je suis partie en laissant tout le monde avec Marie-Mai.

En passant devant le Toys "R" Us, j'ai assisté à la crise d'une gamine qui voulait repartir avec un jouet qu'elle avait déjà, mais qu'il valait mieux avoir en double. J'en ai vite eu assez et j'ai grimpé un étage pour me rendre au Renaud-Bray. Je n'aurais pas d'enfants.

Dès que je me suis approchée du comptoir, une jeune rousse particulièrement motivée m'a demandé ce qu'elle pouvait faire pour rendre ma vie meilleure. Elle ne savait pas dans quoi elle s'embarquait, je l'ai épargnée.

— Je suis venue chercher une commande. Le dernier Vigneault.

Elle a sorti *Chercher le vent* de sous le comptoir. Un Post-it jaune indiquait « MAEVE PAYÉ ».

— Mèèève, c'est ça ?

J'ai toujours détesté que les gens bêlent mon nom.

— Méééve, qu'on dit. Comme la fille dans *Sinbad le marin*, pas comme le cri du mouton.

Je l'ai tout de même remerciée et j'ai composé un des rares numéros que je connaissais par cœur. Ça ne pouvait venir que de lui. « Vous avez bien rejoint Loïc Vallières, laissez-moi un message. » « C'est moi. Merci pour Vigneault. »

Pour éviter le bouchon qui s'était formé devant le rayon du dernier Patrick Senécal, je suis sortie en passant par la rangée des livres de sciences. En tournant le coin, je me suis retrouvée devant une fillette assise en indien qui feuilletait une brique sur le système solaire.

— Quoi ? m'a-t-elle demandé sans lever le nez de son livre.

Okay, moins deux points pour l'attitude.

— Comment ça, quoi ?

Elle n'a pas bronché. J'ai tourné les talons en maudissant la nouvelle génération de *kids* et j'ai remis The Kooks dans mes écouteurs.

À peine dix mètres plus loin, j'ai senti quelque chose heurter le bas de mon dos. J'espérais que cette intervention soit justifiée parce que j'étais en plein dans le *bridge* de *Naive* : le meilleur bout. En me retournant, j'ai vu une petite balle de baseball qui roulait par terre. Miss système solaire se tenait debout quelques mètres plus loin, une main dans une poche de ses jeans et l'autre enfouie sous sa mite, prête à attraper. Quelques mèches de ses longs cheveux noirs tombaient ici et là sur son chandail des Foo Fighters. Un véritable manga.

Okay, deux points pour le chandail.

15

— T'as un nom ? m'a-t-elle dit avec toute l'attitude que peut avoir une enfant d'environ huit ans.

Pour jouer le jeu, j'ai fait une balloune avec ma gomme avant de lui répondre.

— Ouais… Je m'appelle Maeve.

— Comme la fille dans *Sinbad le marin* ?

Okay, trois points pour la connaissance de ses classiques.

— Exact ! Toi ? T'en as un ?

— Kancelle. Avec un *K*.

Kancelle. Kancelle. Il y avait quelque chose d'aérien dans son nom.

— Tes parents, ils sont où ?

— Mon père est parti s'acheter des cordes pour le spectacle de ce soir. Il m'a laissé des pièces de vingt-cinq sous. Trois pour les machines et quatre pour lui téléphoner.

Elle a sorti tout le contenu de ses poches pour me le montrer : des pièces de monnaie, une minuscule épée, une pierre blanche et quelques mousses.

— Il est musicien ?

— Ben non, il est funambule ! a-t-elle lancé, exaspérée.

Cette petite était un doux mélange d'adolescente à l'entraînement, de poupée de chiffon et de femme fatale. J'allais m'éclipser quand elle a ouvert son livre et s'est empressée de m'étaler toutes ses connaissances sur le sujet. Je cherchais désespérément une raison pour me pousser quand un jeune homme nous a interrompues.

— Kancelle! Je t'ai demandé de m'appeler quand la petite aiguille serait sur le trois puis la grande sur le quatre, as-tu vu l'heure?

Son père était particulièrement jeune. J'ai calculé rapidement qu'il devait avoir eu la petite vers l'âge de dix-huit ans. Je l'ai regardé avec empathie.

— Je pensais que c'était la petite sur le quatre et la grande sur le trois…

— *Whatever*, Jack a des problèmes techniques, faut vraiment qu'on y aille, a-t-il lancé en replaçant le livre.

Elle a pris un air piteux qu'elle avait dû répéter longtemps devant le miroir.

— Tu m'avais promis qu'on irait manger au resto…

Pour dissimuler mon malaise, je faisais semblant de m'intéresser à un réveille-matin à énergie solaire en lisant les instructions bourrées de fautes à l'arrière de la boîte. «Enfoncer dedans soleil, chaque fois que vous nécessaires. Patience jusqu'à les clignotages.»

— Je sais, Kance, mais je pouvais pas prévoir qu'il y aurait un problème avec le son. On ira au resto demain, promis.

Kance. Kance. Son nom me collait au palais. Pas désagréable.

Elle m'a regardée avec un autre de ses petits airs longuement travaillés, puis elle est venue enfoncer son visage dans mon ventre. Je me suis retournée vers lui. Il avait de petits yeux noisette, les cheveux rasés et un chandail rayé de deux teintes de vert. Ses Converse semblaient avoir fait la Deuxième Guerre mondiale et en m'y attardant un peu plus, je me suis demandé qui lui avait appris à faire des boucles. Il avait de la gueule. Je pouvais dire en un seul coup d'œil qu'il avait à la fois tout ce qu'il fallait à un homme pour me plaire et en même temps la seule chose qui pouvait me repousser : un enfant.

— Vous vous connaissez ?

— Maeve, ai-je dit en lui tendant ma main moite.

— Max, enchanté.

J'ai senti l'épaisse couche de corne au bout de ses doigts de musicien. Maxime. Il me semblait qu'il aurait mérité un nom plus singulier, moins ordinaire.

— Pourquoi tu viendrais pas manger au resto avec moi pendant que Max fait les tests de son ?

— *Shit*, Kancelle ! On n'organise pas un tête-à-tête avec…

— Dis oui, Maeve ! Dis oui, s'il te plaît, dis ouiiiiii !

Décidément, elle possédait un immense répertoire de mimiques.

— Écoutez, je suis terriblement mal à l'aise, m'a-t-il dit après avoir posé les yeux sur sa montre.

Il passait sans cesse sa main sur son crâne rasé, comme si ça pouvait l'aider à réfléchir plus vite.

— J'aime pas le mexicain. On mange n'importe quoi sauf du mexicain, ai-je risqué.

Il s'est frotté le visage, complètement dépassé par les événements. Il a froncé les sourcils, de sorte que des petits plis se sont formés sur son front. Il a regardé sa montre à nouveau, puis nous a fait signe de le suivre.

On a marché jusque dans le stationnement. Maxime parlait au cellulaire, Kancelle a failli tout casser sur son passage en faisant rebondir de toutes ses forces une balle qu'elle avait achetée en chemin et moi, j'essayais de les suivre en me demandant comment j'avais pu me retrouver dans une situation pareille. J'ai accéléré le pas pour les rattraper. J'ai compté les fausses plantes sur mon chemin : vingt-six.

Chapitre 2

Le véhicule était une énorme *van* noire comme celles dans lesquelles j'avais toujours rêvé de partir en *road trip* : lunettes de soleil, pieds nus sur le tableau de bord, sous-vêtements humides dans le coffre à gants. Ils se sont disputés à savoir laquelle d'entre Kance et moi devait s'asseoir à l'avant. Ils parlaient beaucoup trop vite et pas assez fort pour que je puisse intervenir. J'ai cru comprendre qu'il avait eu le dernier mot en voyant Kancelle lui faire une grimace avant de prendre place à l'arrière.

— Bon, vous avez une idée d'où vous aimeriez manger ?

— Samuraï ! a-t-elle tout de suite proposé.

— Évidemment… Ça te va, Maeve ?

Je lui ai répondu d'un signe de tête. Pendant tout le trajet, elle m'a décrit le restaurant dans les moindres détails. Quand nous sommes arrivés dans le stationnement, elle est sortie du véhicule sans même saluer son père. Je l'ai regardée qui zigzaguait entre les voitures sans leur porter la moindre attention. L'insouciance totale. Je me suis agrippée à mon siège comme si j'étais sur le point d'assister à une catastrophe. Je ne me souvenais pas d'avoir été un jour si peu méfiante, même à cet âge. Max a sorti quatre billets de 20 $ de son portefeuille et me les a filés. Il a souri en voyant que Kance était déjà à l'intérieur, le nez plongé dans le comptoir à desserts.

— Vous devriez en avoir assez.

Les plis sur son front avaient disparu.

— Ça va Maxime. Je suis capable d'inviter une enfant au resto. Surtout à cet âge-là, ils mangent comme des oiseaux.

— D'abord, c'est pas Maxime, c'est Maximilien. Ensuite, les enfants mangent comme des oiseaux, mais ils commandent comme des ogres. C'est la moindre des choses. Puis ça me rend vraiment service.

Le Maximilien derrière le Max, l'exotisme derrière la simplicité. Il me parlait avec une sincérité étonnante pour un inconnu. J'ai accepté ses billets et les ai placés au fond de ma poche.

— T'as quelque chose de prévu ce soir ? On donne un show au bar de l'Hôtel Plaza. Je te garde une table à l'avant, si tu veux.

— Vous jouez dans un bar ? Qui s'occupe de la petite ?

— Elle a déjà sa place à côté de la scène. C'est dans le contrat. J'ajoute une chaise pour toi ?

— Mouais, Okay… Okay, merci, ai-je marmonné en sortant de la *van*.

— Téléphonez-moi quand vous aurez terminé, j'enverrai quelqu'un vous chercher.

Il a baissé la fenêtre avant de démarrer.

— Hé, Maeve !

— Quoi ?

— C'est la prunelle de mes yeux !

— Sérieux ? J'avais pas remarqué !

Je lui ai fait signe d'attendre pendant que je sortais mon portefeuille et mon appareil photo de mon sac.

— C'est ce que t'as de plus précieux ? m'a-t-il lancé d'un air amusé.

C'est là que j'ai sorti mon CD de The Kooks.

— Là, tu parles ! Ton numéro de cellulaire ? Juste au cas…

Je traînais toujours un feutre permanent dans mon sac pour corriger les fautes dans les graffitis. Je me suis avancée pour lui inscrire mon numéro sur l'avant-bras.

— Tiens. T'expliqueras ça à ta blonde !

J'ai tendu l'oreille à la recherche d'un «quelle blonde?» mais non, rien. Il a mis mon CD dans le lecteur et s'est éloigné tranquillement. Dans le rétroviseur, j'ai cru voir qu'il souriait.

Dès que je suis entrée dans le restaurant, la petite m'a prise par le bras pour m'entraîner jusqu'au fond de la salle, où on diffusait un film de mangas dont elle connaissait visiblement toutes les répliques par cœur. La serveuse s'est arrêtée à notre table avec un pichet d'eau, en plein au moment où le dragon allait sortir de derrière le temple et semer la terreur sur la place publique.

— Chuuuuuuuut !

C'était plus mignon qu'impoli. La serveuse m'a fait un clin d'œil, puis elle a tourné les talons, ce qui a provoqué quelques vagues dans son kimono. Kancelle a pris le temps de m'expliquer en détail tout ce qui se trouvait sur le menu avant que la dame revienne prendre notre commande. Max avait raison, elle avait commandé beaucoup plus que ce que son minuscule estomac pouvait stocker. Je l'ai écoutée commander avec attention. Elle savait ce qu'elle voulait. Et ce qu'elle ne voulait pas.

— T'es mariée ? m'a-t-elle demandé aussitôt la serveuse repartie.

— Pardon ?

J'avais très bien compris.

— Est-ce-que-t'es-mariée ? reprit-elle avec arrogance, choquée que je la fasse répéter.

Je n'aurais jamais d'enfants.

— Mariée ? Non. Toi ?

— Beurk, non.

Pendant le repas, elle m'a parlé de ses amis, des garçons idiots de sa classe, de ce qu'elle avait eu pour les six derniers Noëls et de ses projets pour l'avenir. Elle aurait deux enfants – un grand blond et une petite brune – et elle serait pompière.

— C'est quoi, ça ? m'a-t-elle demandé en apercevant le tatouage caché sous les nombreux bracelets qui entouraient mon poignet gauche.

Trois lettres. *LFM.*

— Ça veut dire ce que je veux. Je décide chaque matin. Tiens, aujourd'hui j'ai pas choisi. À toi l'honneur.

— Les filles magiques.

Heureusement que la journée achevait.

En voyant l'heure, j'ai fait savoir à la serveuse que nous étions prêtes pour l'addition. Kance s'est chargée d'appeler Max pendant que je passais aux toilettes. En revenant, je me suis arrêtée un moment pour l'observer. Elle remplissait son capuchon de bonbons à l'anis. Combien d'enfants de huit ans raffolent des bonbons à l'anis ?

— Jack va être là dans dix ou quinze minutes, a-t-elle postillonné sur mon chandail, les joues déformées par les sucreries.

— C'est qui, Jack ?

— Mon parrain *slash* technicien de son *slash* meilleur ami de Max.

— *Slash*…

— Quoi ?

— Rien…

On est sorties du resto pour l'attendre dans l'entrée, entre deux palmiers géants. Il était déjà 19 h 40, le soleil avait enfilé une tenue rose pamplemousse. Kancelle s'est permis de fouiller dans mon sac, puis elle en a ressorti les lunettes Ray Ban que Loïc m'avait offertes l'été dernier. Elles lui allaient mieux qu'à moi. Le vent s'était levé et ses longues mèches de cheveux noirs brillantes battaient sur son coton ouaté. J'ai sorti mon téléphone de ma poche pour immortaliser ce moment. Elle exhibait ses dents bleuies par les bonbons. Dans ses lunettes, on pouvait apercevoir mon reflet. On a entamé une partie de tic-tac-toe sur l'asphalte avec le reste de nos 25 ¢ ; reines contre caribous.

Dès qu'elle a aperçu Jack qui sortait de la *van*, Kancelle a laissé tout le jeu derrière elle et s'est mise à courir dans sa direction. Il l'a levée à bout de bras comme si elle ne pesait rien. Une pluie de bonbons a retenti sur l'asphalte.

— Jack, me dit-il en me serrant la main.

— Maeve… Comme la fille dans *Sinbad le marin*.

Cette fois, je me suis assise à l'arrière. Jack a choisi un CD de Jeremy Fisher que j'ai savouré les cheveux dans le vent. J'ai sorti une main par la fenêtre pour filtrer l'air entre mes doigts écartillés. J'ai écrit des mots dans le vide : mon nom, en lettres attachées, Max, en majuscules, suivi d'une petite spirale qui s'est terminée en point d'interrogation. Un œil fermé, je me suis amusée à écraser les passants entre mon pouce et mon index. Six hommes, cinq femmes, et même deux gamins.

— Ça va à l'arrière ?

— Très bien, merci.

— Y 'a longtemps que vous vous connaissez ?

— Je dirais… deux heures ?

On n'a plus parlé du trajet.

Chapitre 3

Jack s'est garé derrière l'hôtel. Je me sentais ridicule avec mon polo rouge, mes jeans délavés et ma couette qui datait de la veille. Je suis descendue de la voiture en faisant de gros efforts pour ne pas jeter un coup d'œil dans le miroir: j'aurais sans doute fait demi-tour. Aussitôt à l'intérieur, Jack nous a indiqué la table qui nous avait été promise. Pendant que Kancelle faisait sa tournée pour récolter les nombreux becs qui lui étaient dus, j'en ai profité pour passer aux toilettes.

J'ai détaché mes cheveux et me suis aspergé le visage. J'ai vidé mon sac pour trouver quelque chose susceptible de me redonner un minimum d'éclat: des boucles d'oreilles en noix de coco et mon indispensable Lypsyl au thé vert. Je n'avais pas pris de soleil de l'été et j'aurais pu interpréter sans maquillage le rôle principal d'un film de vampire. Après avoir fait quelques tentatives de sourires devant le miroir, j'ai pris un air gêné, offensé, détaché, puis fait des yeux de Bambi et ri aux éclats jusqu'à ce qu'une dame pousse la porte et me surprenne en pleine action. J'ai fait mine d'être en train de parler à quelqu'un. «Okay Raphaëlle, je t'attends à la table!» J'ai même rajouté bêtement: «Dépêche-toi!» Ça m'a donné les couleurs dont j'avais besoin et je suis sortie des toilettes.

Accoudé au bar, Max feuilletait un exemplaire du *Rolling Stone* sur lequel Katy Perry inclinait la tête en entrouvrant ses lèvres bonbons. Elle nous invitait d'une manière à laquelle je n'aurais moi-même pu résister.

— Je pensais pas que c'était aussi chic.

— Tiens, salut! T'es ben correcte. T'es prête? Je dois rejoindre les autres, on devrait commencer bientôt.

Je l'ai suivi. Le mot *correct* rebondissait sur les parois de ma boîte crânienne. Si c'était une tentative de compliment, c'est de loin le plus nul qu'on m'avait adressé. Ça avait au moins le mérite d'être honnête.

Kancelle était déjà assise à notre table près de la scène. Elle sirotait une boisson étrange: des sirops rouge, vert, jaune, des quartiers de lime et d'orange, des bulles et des glaçons qui tentaient désespérément de trouver leur place à travers les pailles multicolores. J'avais mal au cœur juste à regarder son verre. Une jeune serveuse qui aurait dû porter la mention «certifié air bête» sur sa chemise est venue me garrocher une Heineken. Je lui ai dit que je n'avais encore rien commandé et elle m'a répondu sans prendre son souffle: «Fais-moi donc croire que c'est la première fois que tu te fais payer une bière dans un bar, toi! Si ça se trouve, t'as jamais besoin de sortir une crisse de cenne de ton portefeuille ! » Je lui ai parlé de cette annonce que j'avais vue ce matin dans le journal. Le zoo de Granby cherchait un gardien de nuit pour surveiller la cage des gorilles.

Les lumières se sont tamisées et le *finger* qu'elle m'adressait s'est dissipé tranquillement. Sitôt que le rideau s'est ouvert, j'ai reconnu *Little by Little* de Susan Tedeschi. Les membres du groupe étaient tous vêtus de noir avec un accessoire blanc. C'était très peu original mais pourtant efficace : nœud papillon pour le bassiste, Converse pour le guitariste et chapeau pour le percussionniste. Max, lui, portait une cravate blanche rentrée dans la chemise au troisième bouton, style Scott Weiland. Il s'est approché du micro puis s'est retourné vers les autres membres avant de livrer le premier couplet. Sa voix était juste, elle avait du coffre. Il maniait agilement une superbe Godin Seagull. En lettres géantes, sur son avant-bras, on pouvait lire mon numéro de cellulaire.

À la fin de la première pièce, les spectateurs se sont levés comme s'il était déjà l'heure du rappel. La salle était principalement remplie de jeunes adultes dont la majorité semblait se connaître. Je me suis délectée de chacune des chansons, même celles qui ne m'étaient pas familières, en plongeant le nez dans ma bière de temps en temps pour reprendre mes esprits. Je jetais de temps à autre un œil sur la petite, bien qu'elle semblât déjà avoir oublié mon existence. Après avoir remercié des gens que je ne connaissais pas, Max-Maximilien a fini par dire : « Enfin, merci à la plus jolie fille de la salle, ma petite sœur Kancelle. »

Un disque qui saute. J'étais prise entre deux instants, entre deux mondes. Il venait de perdre le seul défaut qu'il avait : être déjà papa. J'ai patienté quelques secondes, comme on le fait lorsqu'un disque s'arrête, et que l'on prie pour que la chanson reparte d'elle-même.

C'est le sapement effronté de la petite qui m'a ramenée. Je me suis retournée vers elle, qui m'avait menée en bateau. Elle s'acharnait sur la dernière cerise dans le fond de son verre. Elle l'a attrapée plus vite que prévu, l'a mise dans sa bouche et m'a regardée avec un air idiot. Ses dents tantôt bleuies étaient passées au rouge grenadine. J'ai écouté le reste du spectacle sans aucune concentration. Au fond de ma poche de jeans, je faisais rouler entre mon pouce et mon majeur une petite mousse qui s'était formée au lavage.

Kancelle dormait déjà quand les dernières notes du spectacle se sont fait entendre.

Le temps que je sirote une dernière bière, Max avait troqué sa chemise contre un vieux t-shirt des Eternal Youth, le même modèle que ma mère avait maintes fois recousu, des trous s'étant formés dans le tissu transparent. Le sien était usé aux mêmes endroits, mais sa mère n'avait apparemment aucun intérêt pour la couture.

— Elle dort depuis longtemps ?

— Une grosse demi-heure.

Il a déposé un bec sur son front. Ça m'a donné envie de lui tendre le mien. Je me suis approchée, juste au cas. Rien.

— T'habites où, au fait ? Si tu veux attendre qu'on finisse de se ramasser, je te déposerai en passant.

— Cartier, mais ça va aller.

J'avais seulement besoin de m'asseoir à l'arrière d'un autobus avec mes écouteurs et mon capuchon, la tête appuyée contre la fenêtre. Jack est venu nous rejoindre, un verre dans une main et un spaghetti de fils dans l'autre.

— Fait que ? T'as trouvé ta gardienne ?

— Ma gardienne a fini son *shift*, là. J'allais justement la reconduire chez elle.

— Maaaaax. Tu vis comme un quinquagénaire. Maeve, combien tu charges pour veiller sur Kance toute la nuit ?

Il a sorti une liasse de billets, qu'il s'est mis à empiler sur la table.

— Laisse-la tranquille, Jack. C'est pas comme si on profitait pas souvent du Salon d'Edgar. D'ailleurs je me suis pas encore tout à fait remis de notre dernière virée.

J'ai salué tous ces gens que je ne connaissais pas pendant que Max rassemblait son matériel, puis je l'ai suivi jusqu'à la *van*. Kancelle a émis quelques gémissements en chemin. De l'adolescente à l'entraînement, de la poupée de chiffon et de la femme fatale, il ne restait d'elle que la poupée. J'ai fouillé dans le coffre à gants et j'ai trouvé mon portefeuille, mon appareil photo et la pochette des Kooks.

— Ça va ? Maintenant que tu sais que je suis pas une kidnappeuse d'enfants, je peux reprendre mes effets personnels ?

— J'ai encore un petit doute, mais… ça va. Reprends-les.

— T'as du café pour demain ?

— Qu'est-ce qu'il y a demain ?

— Bah, je vais me lever, tu vas être *hang over*, je vais pas attendre que tu te réveilles pour entamer ma journée.

— T'es sérieuse ?

— J'ai l'air de te faire une blague ?

Il a mis le cap sur Limoilou pendant que je comptais les lampadaires, la tête appuyée contre la vitre. Dans la buée, avec mon index, j'ai dessiné un petit point d'interrogation, que j'ai aussitôt effacé du revers de la main.

Sa maison était zen, propre et illuminée par une seule et unique petite lampe en papier de riz qui projetait d'étranges formes sur les murs du salon. Je l'ai suivi jusqu'à la chambre de Kancelle, puis je l'ai regardé l'emmitoufler sous les couvertures.

— Prends mon lit, dans la chambre du fond. Je dormirai sur le futon, dans le salon, a-t-il chuchoté.

— Merci.

Sa chambre était aussi zen que le reste de sa maison. Un énorme lit, un bambou sur chaque table de chevet. S'il y avait une deuxième table de chevet, y avait-il nécessairement une deuxième personne ? Perchées sur une tablette à la tête du lit, cinq petites lampes asiatiques illuminaient la pièce. Trois guitares étaient accrochées au mur et des rideaux crème descendaient de chaque côté de la fenêtre. Il a sorti un grand t-shirt et un bas de pyjama d'un des tiroirs de sa commode.

— Besoin d'autre chose ?

— File, j'ai tout ce qu'il me faut.

Il m'a remerciée, encore une fois, et il est sorti. Aussitôt la porte refermée, je me suis enfoui le visage dans son oreiller à la recherche d'une odeur féminine, la seule chose à présent qui aurait pu me ramener sur terre. Rien. Je n'ai pas pris la peine d'enfiler les vêtements qu'il m'avait sortis. J'ai fait une boule avec son pyjama pour me modeler un oreiller de corps et je me suis faufilée sous ses couvertures fraîches et lourdes. J'ai pensé à Murielle, puis à Shadow, mon pauvre chat qui devait être mort de faim. Loïc. Je lui ai téléphoné.

— Salut.

Par habitude, je laissais toujours passer quelques secondes avant de lui répondre à mon tour. Ça me laissait le temps de déchiffrer son état d'esprit, caché dans l'espace entre chacune des lettres du mot *salut*. Il allait bien.

— Salut, c'est moi.

— Je sais. Pourquoi tu chuchotes ?

— Il est tard.

— Okay.

— Pourrais-tu passer chez Murielle ? Puis nourrir Shadow ?

— Okay. Est-ce qu'il est sexy ? Autant que moi, je veux dire ?

— Plus.

— T'es chiante.

— Je sais. Tu vas y aller, hein ? Tu vas t'assurer que tout va bien chez Murielle ?

— Ouais. J'suis au Turf, justement.

— Merci, à demain.

— Maeve…

— Hum ?

— Bonne nuit.

— Bonne nuit.

Tourmentée par une quatrième nuit d'insomnie consécutive, j'ai dévoré *Chercher le vent*. Pourquoi Loïc m'avait-il offert ce livre ? Il enviait assurément ce héros, en droit de fuir. Quelques heures plus tard, je l'ai déposé sur la table de chevet, déjà illuminée par les premiers rayons de soleil.

Chapitre 4

9 h 02.

J'avais toujours trouvé un certain réconfort dans le fait de me réveiller à « et 02 ». C'était plus doux que le « et 05 » qui nous ramène à l'ordre ou le « et 08 » qui nous fait sentir en retard. Des images de mon dernier rêve sont remontées à la surface. Le chalet, l'écroulement des centaines de particules de roche qui dévalaient la falaise pour former un monde de collines minuscules sur la grève. J'ai souri en pensant à Loïc et à Fred qui s'étaient souvent amusés à remplir des seaux de sable qu'ils déversaient du sommet pour que le bruit persiste.

Quelque chose d'humide et de froid s'est posé sur le bout de mes doigts. Le museau d'une panthère noire, intriguée de découvrir une inconnue sur son territoire. Après lui avoir accordé l'attention qu'elle méritait, je me suis levée, j'ai fait le lit et j'ai marché jusqu'à la salle de bain en m'efforçant de ne pas écraser cette bête qui faisait des huit entre mes jambes.

Je me suis lavé le visage avec une goutte de savon volée dans la pharmacie en cherchant un indice infaillible du statut de célibataire de Maximilien. Quelque chose qu'aucune blonde ne tolérerait : des ongles dans l'évier ou des poils de barbe dans le bain en cœur. Rien. Deux petits bras se sont croisés autour de ma taille. Kancelle s'était levée sans que je m'en aperçoive. Elle avait des traces de draps plein le visage, les cheveux en bataille et un pyjama des Ninja Turtles qui lui laissait le nombril à l'air.

— Je suis contente que tu sois là, a-t-elle soufflé entre deux bâillements.

— Max a été invité à sortir après le spectacle. Je suis venue te garder.

— On joue au Nintendo ?

Il lui importait peu de savoir comment je m'étais ramassée ici.

— T'as rien d'autre à me proposer ?

— Je te mets du vernis à ongles ?

— Va pour le Nintendo.

Après avoir décapité des troupeaux de zombies, ingurgité des dizaines de champignons magiques et accidenté des centaines de bolides, j'ai utilisé les deux ampoules qui me servaient dorénavant de pouces pour ouvrir mon pot d'ibuprofène. La petite était aussi mauvaise gagnante que mauvaise perdante et elle m'avait infligé une série de comptines pour souligner sa victoire.

Je me suis levée pour aller me faire un café, mais Max m'avait devancée. Il était planté devant la cafetière, une serviette autour de la taille.

— Bien dormi ? m'a-t-il demandé sans se retourner.

Je me suis surprise à forcer des yeux pour essayer de dénouer sa serviette. J'y étais presque quand il a posé sous mon nez un immense verre d'eau et un café noir. Il me semblait reconnaître Kancelle dans le tatouage de manga qui recouvrait son épaule gauche. Après l'avoir remercié avec autant de reconnaissance que le président d'une œuvre de charité à qui l'on aurait remis un chèque en blanc, j'ai avalé d'un coup mes trois cachets.

— Ça manque de musique ici.

— Fais-toi plaisir.

Sa bibliothèque était remplie de disques parfaitement rangés. Mes yeux défilaient devant tous ces noms dont la plupart m'étaient familiers, jusqu'à ce qu'ils s'arrêtent sur *Light the Horizon* de Bedouin Soundclash.

Kancelle a vidé la moitié de la boîte de Froot Loops et le reste de la pinte de lait dans un bol avant de s'enfermer dans la salle de jeux, sans se préoccuper des céréales multicolores qu'elle avait répandues partout sur le plancher. Pendant que Max s'habillait, je me suis extasiée devant la cour arrière et me suis assise dans le gazebo dont les coins étaient ornés de gigantesques palmiers qui semblaient lui servir de gardiens. Une série de lanternes rouges agencées au divan étaient suspendues au plafond. Au bout de quelques minutes, il est ressorti avec un cendrier, un paquet de cigarettes et une assiette remplie de quartiers d'orange.

— Fait que? Le trafic d'organes, ça paye? lui ai-je demandé en m'attaquant à l'assiette invitante qu'il venait de déposer sous mon nez.

— Pas autant que je voudrais.

— Sérieusement, t'habites avec qui ? C'est quoi, ce *fucking* paradis ?

— C'est la maison de nos parents, en fait. Ma mère est médecin sans frontières, mon père est reporter. Ils sont partis ensemble à Port-au-Prince pour six mois. Y a de ça un an et demi déjà.

— Ouch. Ils ont prolongé ?

— Apparemment.

Il a frotté la pierre de son briquet avant de nous sortir deux cigarettes.

— Comment tu vis ça ?

— Ça pourrait être pire. Je pourrais avoir huit ans, par exemple.

J'ai remarqué pour la première fois son petit trou au menton, souvenir d'un piercing.

— Elle vit ça comment ?

— Difficile à dire. Elle en parle pas vraiment. Ils sont venus nous voir deux fois. À Noël et à sa fête, en mai dernier. Ils aimeraient bien la ramener avec eux.

— Elle le sait, ça ?

— Elle m'a fait promettre de jamais l'envoyer là-bas.

— Puis là, tu te retrouves avec une enfant à ta charge.

— Si j'avais pu l'inventer, Kancelle, la dessiner même, je l'aurais faite exactement comme ça. Mais bon, j'avais pas prévu avoir de *kids* avant la fin de la vingtaine. Ça change un peu les projets de vie.

On a d'abord entendu un bruit derrière la clôture. Jack est apparu avec sa caisse de Corona, ses gougounes et son chapeau de cow-boy, l'air heureux d'être content. J'ai toujours été impressionnée par les gens qui arrivent chez d'autres à l'improviste. Puis, je me suis rappelé cette fois où Loïc était débarqué sur le seuil de ma porte sans cogner, les cheveux et le visage dégoulinants de pluie. Il avait attendu Adèle jusqu'aux petites heures du matin. Nous avions fait l'amour dans l'entrée de mon appartement, où nous étions restés étendus dans l'odeur de terre le reste de la nuit.

La petite est arrivée dans les secondes qui ont suivi, vêtue d'un maillot de bain.

— *Give me five!* a-t-elle crié en lui présentant sa main grande ouverte.

— Jack a une très mauvaise influence sur toi, a tout de suite rétorqué Max.

— Le français, excuse. On dit « donne-m'en cinq », Kance. Compris ?

Il s'est débouché une bière avant de s'asseoir entre nous deux.

— Parlant de mauvaise influence, je peux vous voler une cigarette ?

Kancelle s'est précipitée dans la piscine pour nous dévoiler sa redoutable technique de bombe.

— Maintenant qu'on est trempés…, a marmonné Max avant d'entrer dans la maison.

Il est revenu avec des serviettes et des maillots qu'il nous a lancés.

Un vieux t-shirt blanc. C'est tout ce qu'il avait trouvé pour me servir de maillot. Tout pour me mettre à l'aise. J'ai pensé à cette entité grisâtre qui me servait de soutien-gorge et à ces sous-vêtements à la garçonne, qui étaient sans contredit moins révélateurs qu'un t-shirt blanc mouillé, et j'ai retiré mon pyjama avant de plonger la tête la première.

Au bout d'une heure, le crocodile gonflable était ligoté à l'échelle de la piscine pour avoir mordu Kancelle, le niveau de l'eau avait considérablement baissé et le soleil allait avoir imprimé à jamais sur ma peau mon maillot de bain improvisé.

La faim nous a sortis de l'eau.

Kancelle est allée remettre pour la énième fois le disque de Bedouin Soundclash pendant que je cherchais dans le réfrigérateur de quoi faire une salade estivale : laitue romaine, thon dans l'huile, tomates cerises, cœurs d'artichauts marinés, olives noires, oignons verts et coriandre. Je fouillais dans les armoires et les tiroirs comme s'il s'agissait de ma propre maison. J'ai sursauté en apercevant Max dans le cadre de la porte.

— T'as besoin de quelque chose ? Une bière ?

— Non, merci.

Je devais vraiment avoir l'air coincée, parce qu'il m'a quand même débouché une Corona, a glissé un quartier de lime dans le goulot et me l'a offerte. Je me suis collé le visage contre la bouteille, puis je l'ai regardé sortir à travers les bulles qui montaient le long des parois.

Le goût de la lime m'a fait penser à Fred qui s'était sauvée en Thaïlande neuf mois plus tôt. Je n'avais reçu d'elle que quelques courriels qui ne dépassaient jamais les deux lignes et une enveloppe sans adresse de retour contenant une mèche de ses cheveux. J'ai souri en me remémorant toutes ces tequilas que Loïc nous avait servies au Raw. Chaque jeudi soir, vers 22 h, Fred et moi allions nous asseoir au comptoir pour attendre la fin de son quart de travail. Loïc déposait trois tequilas devant Fred, qui dégageait ma nuque d'une main pour étendre le jus de lime et le sel de l'autre. Sa langue douce et froide traçait un chemin sur mon cou pour finir sur le bout de mes lèvres. Elle redéposait les verres sur le bar en frappant trois petits coups, puis elle s'attaquait sauvagement aux quartiers de lime.

Pendant que je saupoudrais la salade de parmesan et de poivre du moulin, Kancelle pliait minutieusement les serviettes.

— Pourquoi on a des serviettes déjà utilisées ?

— C'est de l'O-RA-GI-MI !

— Laisse ma sœur tranquille… Je porte un toast à ces 32 degrés !

— Et à ce cancer de la peau ! a pris soin d'ajouter Jack en regardant s'estomper l'empreinte de sa main dans mon dos.

Le cellulaire de Max a sonné sans cesse durant le repas. En moins d'une demi-heure, on avait conclu que le band et leurs amis se joindraient à nous pour le souper : baignade, BBQ, feu de camp, camping. Une fois nos assiettes terminées, on a ramassé tout ce qui pouvait ressembler à une brindille, de près ou de loin, mais ce n'était vraiment pas suffisant pour remplir le foyer.

— Pas le choix.

Max se frottait les mains comme s'il préparait un mauvais coup.

— Absolument pas le choix, a approuvé Jack.

J'ai demandé des explications, sans toutefois obtenir de réponse. Max a terminé sa Corona en vitesse, puis il a distribué les rôles.

— Moi, je le distrais. Jack et Kance, vous y allez. Toi, Maeve, tu montes la garde.

J'ai alors mentionné qu'il pourrait s'avérer pertinent que je sache quoi garder. Kancelle m'a expliqué que Max irait distraire le voisin pendant qu'elle et Jack iraient lui «emprunter» quelques bûches, a-t-elle insisté en reproduisant des guillemets avec ses doigts.

— Vous. Êtes. Vraiment. Attardés.

Max a haussé les épaules, puis il est parti demander au voisin s'il n'avait pas, par hasard, des fourmis dans sa cave. Derrière la clôture, Jack et Kancelle se relayaient pour lui voler quelques bûches d'érable sèches à souhait. En moins de cinq minutes, on avait un superbe amas de bois qui ne demandait qu'à s'enflammer.

J'ai proposé à Kancelle de m'aider à faire une brassée de serviettes de plage pour les invités. À vrai dire, j'aurais proposé n'importe quelle tâche qui m'aurait permis de fouiller dans les armoires de cette maison. Pourquoi pas un ménage du printemps?

Dans la salle de bain, j'ai ouvert les stores et sorti toutes les serviettes du panier à linge. Les seuls sous-vêtements féminins que j'ai croisés étaient tapissés de voitures de course et de Ninja Turtles. Soulagée, j'ai rempli la laveuse de serviettes aux couleurs festives, puis j'ai fait couler un filet de savon biologique à la lime et au ylang-ylang dans le récipient. Le mot ylang-ylang ne m'avait jamais rien inspiré de bon. Il me semblait d'ailleurs qu'il aurait pu être utilisé à tout moment pour désigner des testicules, une fille idiote ou des vieilles chaussures. J'ai regardé la mousse blanche engloutir le tourbillon de tissus à travers la porte de la laveuse, puis je me suis approchée de la fenêtre, d'où je pouvais espionner les deux gars en train de se débattre avec les poteaux de tente.

— M'aimes-tu? m'a demandé Kancelle d'une voix à peine perceptible.

C'était sa façon de s'excuser de m'avoir menti la veille. Je le savais, et je n'avais pas l'intention de la faire sentir coupable davantage. En guise de réponse, je l'ai prise par la taille et l'ai soulevée au niveau de la fenêtre pour qu'elle puisse elle aussi assister au spectacle. J'ai pris une bouffée de son odeur corporelle, une peau d'enfant enduite de crème solaire. En passant devant le miroir de la salle de bain, j'ai gonflé mon ventre de toutes mes forces, juste pour voir. Ça ne m'allait pas du tout.

Chapitre 5

Comme j'étais la seule à être en état de conduire, j'ai pris place au volant de ce petit bijou de Golf noire. Kancelle, copilote, m'indiquerait le chemin à suivre pour me rendre à l'épicerie. À l'arrière, les gars riaient pour des raisons qui nous échappaient.

En les regardant marcher vers la porte d'entrée, je me suis convaincue que nous devions avoir l'air à peu près normaux. C'est lorsque nous sommes passés devant les popsicles que tout s'est gâté, comme si le fait d'avoir aperçu du sucre et des couleurs fluorescentes avait suffi à les rendre dingues. Kancelle et Jack échangeaient des passes d'escrime avec un Mister Freeze en guise d'épée, pendant que Max calculait le nombre de secondes qu'il pouvait rester planté avec un cyclone sur la tempe. Plus ou moins habituée à ce genre de pratiques, j'ai poussé mon panier jusqu'à l'allée suivante en faisant mine de ne pas les connaître.

Max m'a fait signe de le suivre. Un peu perplexe, j'ai abandonné mon panier et je l'ai suivi, hypnotisée par le roulement de ses hanches. Ses épaules étaient légèrement tendues vers l'arrière, sa nuque plus lisse que celle de Loïc. Ses omoplates se dessinaient à travers son chandail à chacun de ses mouvements. J'ai eu envie qu'il me prenne, là, à travers les boîtes de conserve qui seraient tombées sur le sol dans un bruit métallique dont je me serais souvenue longtemps. J'ai mémorisé sa silhouette. Je la dessinerais plus tard.

— On fait quelque chose qui va te rappeler ton enfance. On fout des trucs embarrassants dans le panier des autres.

— J'haïs les jeux. J'ai jamais joué à ça.

— T'AS JAMAIS JOUÉ À ÇA ? Qu'est-ce que tu faisais, coudonc, quand t'étais *kid* ?

— Je lisais des livres, j'attrapais des papillons, je…

— *Booooooooooring*. Tu vois la couguar là-bas ?

— Mouais, mettons.

Il a sorti de derrière son dos une revue pour femmes : « spécial 25 trucs pour faire disparaître vos varices ».

— Hors de question. Je peux pas.

— Ben oui, tu peux !

Il m'a poussée dans l'allée. On avait davantage affaire à Max qu'à Maximilien.

Je lui ai lancé mon regard le plus menaçant en marchant vers la couguar. Elle avait laissé son panier quelques pieds plus loin, pendant qu'elle passait à la loupe les ingrédients d'une boîte de biscuits. J'ai marché le long de l'allée en zieutant les aliments comme si je cherchais quelque chose. J'ai déposé la revue dans le fond de son panier, puis voyant qu'elle me reluquait, je me suis emparée de la boîte de préparation à gâteau la plus riche sur le marché. J'ai rejoint Max en me trémoussant le derrière.

Jack et Kancelle s'étaient chargés de remplir notre panier, qui contenait à présent tout ce qu'il y avait sur la liste, entre autres. Chacun a sorti quelques billets pour régler la facture, auxquels Kance a ajouté une poignée de bonbons à l'anis et des mousses de poche, puis nous avons regagné nos places respectives dans la Golf.

Chapitre 6

Max avait stationné la *van* dans l'arrière-cour. Elle servait à la fois de juke-box et de stand pour les bières qu'Hubert distribuait aux invités en prenant soin de ne pas piétiner les vêtements légers que les filles avaient laissés traîner en chemin vers la piscine. Kancelle arbitrait une partie de volley-ball aquatique, des garçons qu'on ne m'avait pas encore présentés se rinçaient l'œil en discutant près du BBQ et des tentes avaient poussé ici et là sur le terrain. La compilation de Weezer qui jouait en boucle avait replongé tout le monde quelques années en arrière. J'ai trouvé Max assis à la table de la cuisine, les doigts collés par le cannabis et le papier à rouler. Il a soufflé un coup sur la table pour la nettoyer, puis il a passé sous mon nez un immense cône avant de le replonger dans son paquet de cigarettes.

— C'est moi ou on a tous dix-huit ans, là ?

Une petite rousse est entrée dans la cuisine en suppliant Max de l'aider à sortir son haut de maillot de bain, coincé dans le filtre de la piscine.

— Amélie Nolin, ça, c'est le fantasme à Hub. Il en rêve depuis le primaire.

La noirceur était tombée, les filles s'étaient rassemblées pour allumer le feu. Chacune avait sa théorie sur la meilleure façon de faire, ce qui ne faisait en rien avancer les choses. Tranquillement, les invités revenaient de leurs voitures les bras chargés de matelas gonflables, de sacs de couchage et d'oreillers. Kancelle était allongée sur une courtepointe près du foyer et réclamait d'autres couvertures.

J'ai suivi Max jusqu'à sa chambre pour lui donner un coup de main. Dans un accord silencieux, il m'a soulevée par la taille pour que je puisse atteindre la plus haute tablette du garde-robe. Je sentais son souffle dans le bas de mon dos, précisément à l'endroit où il s'était dénudé quand j'avais étiré mes bras. À travers ma camisole, ses mains moites. J'ai tout fait tomber par terre avant qu'il me redépose. En repensant à cette série de mouvements habiles que nous venions d'enchaîner, je me suis demandé si nous allions avoir autant de coordination dans nos ébats.

On a rejoint l'attroupement qui s'était formé sur le balcon avant. Max a sorti le cône de son paquet de cigarettes et m'a laissé l'honneur de l'entamer. L'odeur a attiré quelques curieux qui nous ont rejoints presque aussitôt.

Je me suis étendue avec la petite près du foyer. Les feux me rappelaient les fins de semaine au chalet, les nuits à la belle étoile et les réveils parsemés de cendres.

Chapitre 7

Je me suis fait réveiller une fois de plus par la panthère. Elle devait me mâchouiller les cheveux depuis un moment déjà, si on se fiait aux mèches gluantes collées sur mes tempes. Kancelle était couchée sur le dos, les bras et les jambes éparpillés autour d'elle. Jack était complètement enseveli dans son sac de couchage et Max ronflait à l'autre extrémité de la tente. Le plancher était recouvert de gazon et de brindilles séchés. Je me suis levée sans faire de bruit, j'ai enroulé la panthère dans le coton ouaté de Max et suis sortie.

Je me suis traîné les pieds dans la rosée jusqu'à la porte-fenêtre. La bête s'est arrêtée en chemin pour marquer son territoire et renifler quelques vestiges de la veille. À en juger par l'état de la cuisine, la fête s'était poursuivie bien après que je leur eus faussé compagnie. En observant les décombres, on pouvait imaginer ce qu'avait été le reste de la soirée : trois dés à jouer étaient coincés dans le drain de l'évier, un album de finissants de cinquième secondaire gisait sur le sol, puis, suspendu au plafonnier de la cuisine, le haut de maillot d'Amélie.

Primo, démarrer la cafetière.

Secundo, s'armer de gants de caoutchouc et d'un énorme sac-poubelle et jeter compulsivement tout ce qui traîne.

Tertio, remplir le lave-vaisselle de tout ce qui nous tombe sous la main, frotter les comptoirs et ouvrir les fenêtres pour laisser s'échapper l'odeur de tabac et d'alcool.

En passant par la chambre de Max, j'ai volé la veste de jeans dans laquelle il avait rangé son paquet de cigarettes la veille, puis j'ai enfoncé mon doigt d'un coup sec sur son flacon d'eau de toilette. Des milliers de gouttelettes ont imbibé les mailles de mon foulard.

J'ai attrapé ma brosse à dents et me suis enfermée dans la salle de bain.

J'ai essayé sa veste de jeans, roulé et déroulé le bas de ses manches, attaché et détaché ses boutons. Je me suis brossé les dents et la langue pendant un long moment et je suis sortie sur le balcon, tasse dans une main, veste et panthère dans l'autre.

La bête a fait quelques tours sur elle-même et s'est couchée, docile, sur la veste de son maître. Je me suis assise sur le seuil de la porte pour m'allumer une cigarette. J'ai pensé à Murielle. Il y avait deux jours que je n'avais pas mis le pied chez moi. Je repensais à notre dernière discussion, il me semblait qu'elle avait pris un coup de vieux. En flattant Mozart, mes doigts étaient restés coincés dans un nœud. En sortant de chez elle, j'avais remarqué que, depuis trois jours, elle n'avait pas tourné les pages de son calendrier comme elle avait l'habitude de le faire. Le thé qu'elle m'avait servi avait été infusé trop longtemps. Il avait « ce petit goût âcre qu'il faut absolument éviter », m'avait-elle souvent expliqué. Ses biscuits sablés, par contre, goûtaient le ciel, comme à l'habitude.

J'ai fumé machinalement, sans réellement savourer, le regard posé sur un peuplier de la cour voisine. J'ai trempé mon index dans mon café pour dessiner un point d'interrogation sur le béton.

MESSAGE TEXTE

« Ça y est ? »

« Quoi ? »

« Tu veux des enfants ? Une maison de campagne ? Des fougères ? Un golden ? »

« J'ai horreur des choses qui bavent. Des fougères peut-être, oui. »

« Tu penses rentrer, un jour ? Tes plantes se meurent. »

« Tantôt. Merci. »

Loïc avait la manie de transformer son inquiétude en ironie.

La porte de la maison s'est entrouverte tranquillement. Quand j'ai reconnu ses pieds bronzés, j'ai caché le point d'interrogation avec ma tasse. Pour une fille encore inconnue deux jours plus tôt, j'étais drôlement à mon aise. Il m'a souri, puis il s'est assis près de moi tout doucement pour ne pas renverser sa tasse remplie jusqu'au bord. Il a flatté cette chose endormie entre nous deux.

— T'es levée depuis quelle heure pour avoir eu le temps de faire tout ça ?

Il sentait la menthe. Qu'il ait pris soin de se brosser les dents m'a fait sourire.

— C'était pas si pire, t'inquiète.

La première gorgée lui a fait plisser les yeux.

— Menteuse. Je me suis couché avant les autres et j'avais déjà du mal à reconnaître ma maison.

— T'as raison, c'était dégueulasse.

Il a volé ma cigarette. Sa cigarette.

Je l'ai regardé la porter jusqu'à ses lèvres humectées, puis inhaler doucement. Il a fermé les yeux, puis a laissé la fumée sortir de sa bouche avec la même lenteur, du début à la fin. J'ai eu envie de lui, encore. Là, sur le béton chaud, dans la ville encore endormie. Je me sentais fébrile. J'ai volé une autre cigarette, puis j'ai remarqué quelque chose que je n'avais pas vu la fois d'avant. Max avait retranscrit mon numéro de cellulaire à l'intérieur de son paquet. J'ai regardé la façon dont il avait tracé chaque lettre de mon nom. Le M, surtout, me semblait avoir été écrit avec fermeté. La voix tremblotante, je lui ai demandé son feu. Il a allumé son briquet juste devant lui, à la hauteur de son visage. J'ai coincé la cigarette entre mes lèvres puis je me suis approchée de la flamme. On a fumé en silence.

— Viens-t'en.

— Quoi ?

J'ai écrasé mon mégot dans le cendrier.

— La colonie va se lever et j'ai plus une goutte de lait.

Il s'est levé d'un bond, a replacé ses lunettes de soleil, puis m'a tendu ses mains. On a rentré la panthère, attrapé nos souliers, et on est partis.

En marchant dans les rues voisines, il m'a raconté les rumeurs qui circulaient sur tout le monde, y compris lui. Nous nous traînions les pieds en méditant sur les années laissées derrière nous en nous faisant des aveux comme si nous étions sur le chemin de Compostelle. Enfin, à contre-jour, j'ai aperçu l'enseigne rouge et turquoise «Dep'chez Dagenais» devant laquelle Jack et lui avaient passé des vendredis soir complets à attendre désespérément que quelqu'un daigne leur sortir une «saleté» de caisse de bière.

À l'intérieur m'attendait précisément le tableau que je m'étais imaginé : des tablettes poussiéreuses, un match de base-ball à la radio, des néons qui clignotent et, sa tête dépassant à peine du comptoir, M. Dagenais. Il a mis quelques minutes à nous inspecter à travers ses fonds de bouteilles avant de nous envoyer la main. J'y portais plus ou moins attention, fascinée par des friandises que je croyais disparues du marché depuis longtemps. De fait, celle que j'avais entre les mains était périmée depuis plus de deux ans. Je me suis faufilée entre les rangées étroites, jusqu'au réfrigérateur. J'ai trouvé un deux litres de lait bon jusqu'au lendemain, que j'ai déposé sur le comptoir. Max a fait ajouter vingt Macdonald régulières et un paquet de gomme avant de payer.

Nous nous sommes assis sur le bord du trottoir avant de reprendre la route. À l'aide d'un petit caillou pointu, j'ai dessiné un point d'interrogation sur le dessus de ma jambe asséchée par le soleil. J'ai pensé à cette lotion à la lavande dont j'avais l'habitude de m'enduire chaque soir. Cela faisait deux nuits que je n'étais pas rentrée dormir à la maison et j'avais l'impression d'être partie depuis des semaines. J'ai pensé au confort de mon salon, au silence de mon appartement, à la couleur que prenaient mes rideaux fermés lorsque le soleil plombait à l'heure du souper. À Shadow qui devait être mort d'ennui, couché dans l'étui de cette magnifique guitare dont je n'avais jamais su jouer.

On a repris la route en sens inverse. Sur l'asphalte, l'ombre de la pinte de lait avait la forme d'une petite maison.

Chapitre 8

La cour ressemblait à une ruche d'abeilles qui dégèle au printemps. Les invités sortaient des tentes avec lenteur en laissant échapper quelques petits sons, et, d'un pas engourdi, se traînaient les pieds jusqu'à la cuisine en étirant leurs ailes endolories.

On s'est fait acclamer par l'attroupement qui s'était formé devant l'îlot de la cuisine. Jack s'est installé derrière la cafetière avec son tablier, le mousseur à lait et le sucrier. En observant d'un peu plus près l'armoire grande ouverte au-dessus de sa tête, on avait davantage l'impression d'être tombé sur la boîte de décorations de Noël que sur une armoire à vaisselle. Il devait y avoir une bonne vingtaine d'ensembles dépareillés. Chacun choisissait la tasse dans laquelle il avait envie de boire, puis, au bout de quelques minutes, Jack se retournait pour servir les cafés sur mesure. Amélie est restée plantée devant l'armoire quelques secondes, incapable de se décider.

— Ketto.

Elle s'est avancée, a d'abord soulevé le *mug* bleu d'un concessionnaire Volkswagen avant de le redéposer un peu plus loin pour empoigner la tasse Ketto. J'ai regardé Max d'un air amusé.

— Un peu de sucre, un peu de lait, a-t-il ajouté.

Il était tombé pile. Ce fut le tour d'Anne, une jolie brune aux cheveux courts emmitouflée dans un chandail de laine. Des souvenirs d'une discussion qu'elle avait eue avec Hubert m'ont assurée que la tasse avec la citation d'Einstein lui tomberait dans l'œil. On a joué quelques instants, avec un pourcentage de réussite assez impressionnant.

Le cafard était revenu. J'imaginais cette imposante machine espresso Breville rouge, fièrement exposée dans le coin de ma cuisine. Mon bol de café au lait artisanal et sa petite fissure sur laquelle je déposais mes lèvres, comme pour la consoler. Mon plant de verveine citronnelle sur le rebord de la fenêtre, ses feuilles fragiles, son odeur. Ma salle de bain, le bruit des coquillages du mobile qui s'entrechoquaient au rythme des bourrasques de vent. Rentrer chez moi. Ce soir, je souperais à la maison et je dormirais dans mon lit. Seule.

Vers 16 h, je suis passée par la chambre de Max pour rassembler mes affaires. Sur le pied de son lit, j'ai plié avec soin les vêtements qu'il m'avait prêtés.

— Tu t'en vas ?

— Mes plantes se meurent. Mon chat aussi.

Il m'a souri.

Je cherchais ma passe d'autobus dans mon sac à bandoulière quand j'ai entendu le tintement d'un trousseau de clés.

— Laisse-moi au moins te reconduire, les autobus passent jamais ici.

Lorsqu'on est arrivés devant chez moi, du bout du doigt, je lui ai pointé la fenêtre de mon salon.

— Mon nid.

En montant les escaliers qui mènent à la porte principale, j'ai regardé le reflet de sa voiture dans la porte. Il est resté jusqu'à ce que j'entre dans l'immeuble. Comme s'il se pouvait que je fasse demi-tour.

Chapitre 9

En mettant le pied dans mon appartement, j'ai pris une grande inspiration. J'ai laissé tomber mon sac dans l'entrée, retiré mes chaussures et ouvert les rideaux du salon pour admirer cette couleur qu'ils prenaient à l'heure du souper et qui m'avait tant manqué : écrue. J'ai réveillé Shadow qui dormait comme je l'avais prédit dans mon étui de guitare. En chemin vers la douche, j'ai retiré les vêtements que je portais depuis trois jours et les ai laissés traîner sur le sol. Même si le jet était réglé à la puissance minimale, chaque goutte qui venait claquer contre ma peau asséchée par le soleil me faisait grimacer. Je suis restée un bon moment comme ça, sous le jet. J'ai laissé pénétrer pendant de longues minutes mon traitement hydratant pour le cuir chevelu. L'effet rafraîchissant du menthol me gelait le bout des doigts. Au-dessus de ma tête, j'entendais les déplacements lents de Murielle. Elle enchaînait jour après jour la même série de gestes. Elle faisait exactement le même trajet toute la journée, « comme les coyotes », avais-je un jour osé lui dire.

En sortant de la douche, je me suis enduite d'une épaisse couche de lotion à la lavande, puis j'ai regardé ma peau l'absorber tranquillement, de la même façon que les gouttelettes de parfum avaient imbibé mon foulard un peu plus tôt. Me laisser imbiber, c'est bien ce qu'il me fallait. J'ai enfilé un soutien-gorge et un grand t-shirt, puis je me suis enroulé les cheveux dans une serviette. J'ai choisi dans ma bibliothèque *Une rivière verte et silencieuse* de Hubert Mingarelli, que je m'étais promis de lire pendant les vacances. Un verre de blanc à la main, je me suis installée sur le divan et je me suis commandé une soupe tonkinoise. Je me suis plongée dans ma lecture en attendant la livraison. Le téléphone a sonné plusieurs fois sans que je me lève, ne serait-ce que pour vérifier de qui il s'agissait. Quelques chapitres plus tard, la soupe est arrivée entre les mains d'un jeune homme fort sympathique qui avait l'habitude de venir livrer chez moi, Yves.

— Qu'est-ce que tu fais encore toute seule avec ta soupe un vendredi soir ?

— T'es payé pour faire des psychanalyses à tes clients, toi ? C'est inclus dans le prix ? Combien je te dois ?

— Non, gratuit. Mais pour la soupe, 9,25 $ s'il te plaît.

— Voilà 15 $. Merci, Yves, bonne soirée !

— Tu changeras jamais, m'a-t-il dit en rangeant la monnaie dans son étui. C'est pas en restant enfermée ici sans soutien-gorge avec un t-shirt sale un vendredi soir que tu vas trouver le prince charmant, Maeve! a-t-il lancé de l'autre côté de la porte.

— Je t'emmerde, Yves!

Je me suis rendue à la fenêtre du salon et, alors qu'il reprenait le volant de sa voiture, j'ai ajouté: «Je porte un soutien-gorge! Ça confirme ce que je pensais: t'as pas vu ça souvent.»

Il m'a fait une horrible grimace à laquelle j'ai répondu par un bec soufflé.

Je me commandais des soupes davantage parce que nos semblants de disputes me plaisaient que pour la qualité du produit qu'il livrait.

Je suis restée cloîtrée toute la soirée, les yeux rivés sur ce petit livre qui tenait entre les doigts de ma main gauche. Vers 21 h, je me suis fait couler un espresso pour tenir le coup jusqu'aux dernières lignes. Pendant que le liquide brunâtre remplissait lentement la tasse, je me suis fourré le nez dans mon plant de verveine citronnelle. J'ai ouvert la fenêtre derrière lui. La brise a fait frémir ses feuilles, et son arôme singulier s'est répandu dans toute la pièce. Quelques mètres plus bas, l'effervescence du vendredi soir commençait à se faire sentir. En fermant les yeux, on pouvait se concentrer sur le clapotis nerveux des sandales de jeunes filles, la monnaie qui tombait bruyamment dans les parcomètres devant les bars et les cris des chats de ruelles qui font la loi pour un peu de nourriture.

Plutôt que de retourner à mon livre, je me suis tiré une chaise pour regarder la vie qui grouillait au bas de l'immeuble. Shadow marchait en équilibre le long de la fenêtre. Je m'étais procuré ce chat sur un coup de tête, un matin où j'étais sortie de la maison pour faire l'épicerie. Je m'étais arrêtée à l'animalerie devant laquelle il fallait passer pour se rendre au marché et j'avais eu pitié du chaton qui se faisait inspecter maladroitement par une cliente qui hésitait entre un chat et un poisson rouge. Elle l'avait remis entre les mains de la caissière en ordonnant à l'autre commis de l'accompagner dans la section des aquariums. Je m'étais dirigée à la caisse comme une flèche en prenant une petite laisse et un sac de nourriture au passage et j'avais tendu ma carte de guichet à la jeune fille derrière le comptoir. Je m'étais efforcée de ne rien laisser paraître de mon étonnement lorsqu'elle m'avait dit : « 586,02 $, s'il vous plaît. » Le dernier chiffre avait résonné longtemps dans ma tête. « Deux », moi qui n'avais toujours été qu'une. J'étais maintenant *nous*. J'avais composé mon NIP machinalement, puis j'étais sortie du magasin.

Les sacres de la dame avaient résonné jusque dans le stationnement lorsqu'elle était revenue chercher le chaton qu'elle pensait réservé. J'avais déposé la bête par terre, pour ouvrir le coffre de ma voiture. À sa gauche, son ombre faisait plusieurs fois sa taille. Elle avait arrondi le dos en l'apercevant. « Shadow, ce sera ton nom. » Je l'avais déposée sur le siège du passager et j'avais repris la route pour la maison. Lorsque les premières notes du disque de Bon Iver étaient sorties des haut-parleurs, elle avait immédiatement cessé de trembler. «Bonne bête, Shadow, bonne bête.» En arrivant à la maison, j'avais regardé son carnet de santé, puis je m'étais exclamée en apercevant un petit *x* devant le mot *femelle*. J'étais enchantée de constituer un *nous* avec une femme chat. Dès que je l'avais posée par terre, elle s'était mise à sentir mes plantes, les inspectant une par une avant de se coucher en boule dans le fond de l'étui de ma guitare.

Trois petits coups ont résonné à ma porte. J'ai tout de suite pensé à Max, mais je ne me suis pas levée. Trois petits coups à nouveau. Et si c'était Murielle ? J'ai marché sans faire de bruit, comme pour me réserver la possibilité de ne pas ouvrir.

Loïc. Loïc pompette. Loïc quand même.

Le vendredi soir, il avait l'habitude de fêter au Turf, juste en bas de chez moi. Il s'est allumé une cigarette et a fait aller de gauche à droite son menton carré en soufflant la première bouffée. J'ai pensé à Marie-Jo Thério.

«T'es tellement cool, quand t'allumes ta *smoke*, mais t'as tellement peur du feu que ça se peut même pas. T'es tellement cool, quand t'allumes ta *smoke*, mais t'es tellement perdu que ça se peut même pas.»

— Monsieur Vallières…

Il souriait. J'ai pointé l'enseigne «défense de fumer» juste au-dessus de sa tête, comme s'il n'était pas déjà trop tard. Il a lancé sa clope par la fenêtre de l'escalier. Des dizaines de petites feuilles vertes que perdaient les arbres de la rue Cartier étaient juchées dans ses boucles blondes et dans son capuchon. Il s'est secoué dans mon entrée comme un golden qui rentre après une randonnée.

Voyant la chaise que j'avais tirée devant la fenêtre et la machine espresso encore allumée, il a pris une tasse dans l'armoire. La tasse orange de Loïc. C'était à mon avis la plus horrible qui ait jamais existé. Servi là-dedans, je n'aurais jamais été capable de boire un machiatto parfaitement dosé comme il savait les faire. Je suis sortie sur le balcon et suis revenue avec une dizaine de feuilles de menthe que j'ai fait infuser.

— Hippie.

— Ta gueule.

— Hippie, hippie, hippie.

Il a empoigné ma guitare puis, les pieds accotés sur le rebord de la fenêtre, a fait glisser ses doigts sur les cordes. Une musique de fond qui me rappelait une scène de film. En arrière-plan, le bruit sourd du pub.

— Vas-y, Loïc.

— Vas-y quoi?

Il continuait à pincer les cordes, la tête penchée au-dessus de la guitare, comme si elle s'apprêtait à lui révéler un secret.

— Pose-moi des questions!

Il a balancé la tête vers l'arrière en riant comme si je lui avais fait une bonne blague. On est restés en silence un moment. Le silence des grandes amitiés, celui qui s'impose et n'embarrasse personne. Les mains autour de mon infusion, je laissais les vapeurs brûlantes me chatouiller le menton. Qu'adviendrait-il de nous ? De cette amitié qui avait maintes fois dérivé en amour délétère jusqu'à ce que tout éclate, et que tout recommence. Loïc et moi avions renoncé depuis longtemps à l'idée de former un couple. Il voulait des enfants, je préférais les plantes. Il aimait voyager, j'étais sédentaire. Il détestait faire du ménage, j'en faisais une obsession. Il voulait un labernois, je n'aurais jamais rien d'autre qu'un chat. J'aimais planifier d'avance, il ne savait jamais où il serait demain. Il détestait répéter, j'étais lunatique. Il s'était fracturé à peu près tous les os sans jamais chigner, je pleurnichais à la moindre écharde. Il était cinéphile, je préférais les livres. Loïc faisait des fautes, je ne pouvais pas les sentir.

« Des jumeaux séparés à la naissance. »

Voilà l'hypothèse que Loïc avait lancée un soir, dans ma chambre d'adolescente. J'avais scruté son visage voilé par l'épaisse fumée blanche qui émanait du joint qu'on avait abandonné dans le cendrier. Nous avions effectivement des traits communs. Des cheveux blonds, un corps frêle, quelques grains de beauté sur les bras et les épaules. Ça m'avait amusée. Nous avions écouté jusqu'au bout la face A de la cassette de Nirvana. Je m'étais traîné les pieds pour aller la changer de côté. J'avais trempé le bout de mon index dans le verre d'eau qui traînait sur ma table de chevet, puis j'avais dégagé sa nuque. Une première goutte s'était logée sur le haut de son cou, puis avait glissé le long de sa colonne, jusqu'à sa ceinture. Il m'avait tendu le reste du joint, puis s'était emparé du verre d'eau.

« Mon tour », avait-il chuchoté.

À ma droite, Loïc continuait à effleurer la guitare du bout des doigts. Sur le rebord de la fenêtre, son iPhone s'est mis à vibrer. « Adèle » apparaissait sur l'écran illuminé. Il a laissé sonner sept coups avant que la sonnerie ne cesse.

Je me suis levée pour arroser mon plant de verveine, comme si c'était le temps, un vendredi soir à minuit. Le téléphone s'est remis à sonner. Le pot m'a glissé des mains. Entre Loïc et moi, sur le sol, deux morceaux de terre cuite difformes, un plus gros que l'autre. Le téléphone continuait de se plaindre. Je me suis faufilée maladroitement entre nos deux chaises, puis je me suis dirigée vers la salle de bain. J'ai verrouillé la porte. Derrière moi, Loïc a répondu. Adèle et lui s'étaient toujours parlé en espagnol. Je n'avais jamais compris un traître mot de ce qu'ils se disaient. De toute façon, peu importe la langue, je parvenais à le déchiffrer d'après les intonations dans sa voix.

Je me suis passé de l'eau froide dans le visage et sur la nuque. Il me semblait que le joli teint que j'avais acquis ces derniers jours venait de disparaître et que les cernes s'étaient accentués. L'eau qui coulait depuis longtemps enterrait Loïc qui discutait avec Adèle. J'ai allumé un lampion près du lavabo, éteint la lumière, puis rouvert la porte.

Loïc se tenait debout, juste là. Il a approché son visage du mien sans hésiter, puis, avec ses mains tremblotantes, il a fait glisser ma culotte jusqu'au plancher.

Je n'ai résisté d'aucune façon. J'ai sorti une après l'autre mes chevilles emprisonnées dans le morceau de tissu élastique. Il a plaqué ses lèvres contre les miennes et placé ses mains sous mes fesses pour me soulever. J'ai tenu entre mes dents pendant quelques secondes le bijou qui lui traversait la langue. Les jambes serrées autour de sa taille, je me suis laissé transporter et déposer délicatement sur le comptoir de la salle de bain, à peine quelques pieds plus loin. J'ai retenu mon souffle en sentant mon sexe se poser sur la céramique froide. En silence, j'ai retiré son t-shirt et son coton ouaté collés l'un à l'autre, laissant à découvert le piercing sur son sein droit, qu'il avait fait faire en même temps que le mien. Il a remonté mon chandail jusqu'à mon cou, détaché mon soutien-gorge et relevé du bout de la langue le minuscule anneau argenté qui encerclait mon mamelon. Je regardais son visage enfoui entre mes seins. Sa bouche descendait jusqu'à mon sexe et remontait de temps à autre jusqu'à la mienne, pour, entre deux coups de langue, me demander pardon. Perdus dans ses boucles blondes, mes ongles traçaient les lettres du mot *merci*, qu'il aurait été déplacé de prononcer à voix haute. Les miroirs de la salle de bain étaient disposés de sorte que je voyais ses doigts s'agripper dans mon dos et parcourir ma colonne vertébrale, de ma nuque jusqu'au creux de mes fesses pressées contre la céramique. J'ai libéré sa verge sans retirer son pantalon. Le contact de nos piercings au rythme des mouvements de nos bassins laissait échapper un

bruit agaçant. J'ai placé mes doigts écartés sur chacun des grains de beauté qui tapissaient son dos. La
flamme de la chandelle se trémoussait quand le vent
soufflait par la fenêtre. Nous nous sommes dirigés vers
la chambre en contournant le petit morceau de tissu
gris, abandonné sur le seuil de la porte. En traversant
le corridor, Loïc a accroché un cadre qui s'est fracassé
contre le sol. Un bruit cinglant et des éclats sur le
plancher. Sans délacer sa bouche de la mienne, il s'est
emparé de la télécommande qui reposait sur ma table
de chevet. La prochaine chanson sur la liste aléatoire
était *Over My Head* de The Fray. Étendu sur mon lit
défait, Loïc s'est laissé guider avec une présence que je
ne lui connaissais pas. Il était là, entier, à l'écoute des
moindres réactions de nos corps. Nous avons joui à
quelques secondes près, moi d'abord. Puis, en sentant
les derniers soubresauts de son sexe qui venait de se
déverser en moi, j'ai joui une seconde fois.

Chapitre 10

Je me suis réveillée en sueur avec une douleur atroce au ventre. Des images d'un cauchemar que j'avais fait en boucle toute la nuit s'entremêlaient aux souvenirs de la veille. J'avais rêvé que j'étais enceinte d'un bébé lion que je n'arrivais pas à mettre au monde. Je sentais encore ses pattes secouer ma cage thoracique et l'écho de ses rugissements avait laissé un bourdonnement dans mes oreilles.

Mon lit était vide, Loïc avait filé en douce avant mon réveil. Je l'en ai remercié à voix haute. Il restait sur son oreiller quelques-unes des particules vertes qui étaient prises dans ses cheveux, et dans les draps un creux, à la hauteur de son bassin.

Laisser sa trace.

Il avait balayé les morceaux de verre du cadre qui s'était fracassé dans le corridor.

Dans la salle de bain, le lampion que j'avais omis d'éteindre s'était entièrement consumé et le morceau de tissu gris reposait au sommet de la pile de linge sale. J'ai regardé une petite goutte de sang descendre lentement de l'intérieur de ma cuisse jusqu'au plancher. Le lion, la douleur au ventre. Je me suis assise dans le fond de la douche. De l'autre côté de la porte vitrée, Shadow a miaulé de longues minutes avant de se coucher sur le tapis. J'ai rempli ma main de savon et j'ai ébouriffé mon éponge de bain jusqu'à ce qu'une épaisse mousse blanche la recouvre. Je me suis frottée dans les moindres racoins. J'étais sale. J'ai observé le tourbillon de mousse et de sang disparaître dans le drain.

La tasse orange reposait sur le bord de l'évier. Les parois de la cafetière étaient encore chaudes, Loïc venait de partir. J'ai fouillé toutes les armoires pour trouver des capsules d'ibuprofène, que j'ai avalées avec un grand verre d'eau froide. En jetant le marc du café dans la poubelle, je suis tombée sur les morceaux de verre et le sous-pot en terre cuite, cassé en deux. En ouvrant les fenêtres, j'ai tout de suite reconnu l'odeur des biscuits sablés de Murielle. Lorsque je la négligeais, elle cuisinait des pâtisseries en prenant soin de laisser ses fenêtres grandes ouvertes : un piège. Je me suis promis d'aller lui rendre visite avant la fin de la journée.

Dehors, les touristes avaient enfilé leurs ponchos en plastique jaune « au cas où ». Je me suis installée sur le bord de la fenêtre, Mingarelli en mains. Au bas de l'immeuble, un autocar de touristes a déversé dans la rue une cinquantaine d'Asiatiques pressés d'envahir les terrasses et les boutiques. Une famille marchait, s'arrêtant à tout moment pour que la petite prenne des clichés. Un immense appareil photo accroché à son cou, elle insistait pour qu'un client de la pizzeria immortalise sa famille devant les palmiers artificiels. Trois ponchos jaunes, tout sourire, les mains sur les hanches. Trois canaris. Un à un, je les ai aplatis entre mon pouce et mon index, en commençant par la petite.

Je suis retournée me blottir entre mes draps humides et je suis restée ainsi toute la matinée, à me rendormir et à me réveiller des dizaines de fois. Je me réveillais en sueur et me rendormais presque aussitôt. Vers midi, l'appétit est revenu. J'ai enfilé un chandail de laine et un vieux jeans, ramassé mes cheveux avec une pince édentée, puis suis montée chez Murielle. Après avoir frappé, je l'ai écoutée s'approcher à pas lents.

— J'ai fait une crème d'asperges, entrez, Maeve.

J'ai enfilé des pantoufles et je me suis assise sur la même chaise que d'habitude.

— Allez laver vos mains, je vous prie, m'a-t-elle soufflé en versant des louches de crème d'asperges dans nos bols à soupe.

Dans la salle de bain, une Vierge Marie d'environ trente centimètres de haut tenait entre ses mains un pain de savon fuchsia dont l'odeur me rappelait les pots-pourris du Dollarama. Cette statuette m'avait toujours glacé le sang. Je lui ai rendu le savon en lui adressant un sourire poli et suis retournée m'asseoir à la table, où une soupe fumante m'attendait.

Quand elle sentait que j'allais lui rendre visite, Murielle dressait la table comme si elle attendait la

reine d'Angleterre. Elle déposait la poivrière, le beur-
rier et le parmesan sur un napperon de dentelle de
Bruges et sortait des armoires son service à thé en
porcelaine anglaise. Elle remplissait mon verre d'eau
à mesure que je la buvais et m'offrait à tout bout de
champ de réchauffer ce plat dans lequel je pigrassais
en placotant.

— Ce n'est pas un homme marié, au moins ? me
demanda-t-elle sans lever les yeux de son plat.

— Oh, non. Pas que je sache.

Murielle avait déduit que mon absence des derniers jours était liée à une nouvelle rencontre. Je
m'étonnais chaque fois de la voir tout deviner comme
si elle m'avait suivie pas à pas. Il m'était d'ailleurs déjà
arrivé de fouiller dans mon sac à la recherche d'une
mini caméra ou d'un magnétophone, après une visite
chez elle où j'avais compris qu'elle savait déjà tout ce
que j'étais en train de lui raconter.

— Et il sait que vous avez revu Loïc, hier soir ? Je
l'ai vu filer en douce ce matin, il avait une de ces têtes…
Et il fumait, il ne cessera donc jamais de fumer ?

— Pas que je sache…

Je me suis levée pour me resservir. Elle s'est mise
à me parler du couple royal, Kate et «Winston». Elle
n'avait pas l'habitude de parler autant, je l'écoutais
donc avec intérêt, un peu étonnée. Au beau milieu
d'une phrase, elle s'est levée pour aller chercher dans
l'armoire une boîte en métal remplie de sablés encore
chauds. Sur la cuisinière, elle a fait bouillir de l'eau

dans une théière en fonte. J'ai commencé à m'empif-
frer de biscuits avant même qu'elle ne me serve le thé.
Je lui ai parlé des mains de Max et des cheveux de
Kancelle, de leur maison et des nombreuses guitares.
Elle m'a demandé s'il fumait et je lui ai menti. C'était
la première fois que je la voyais programmer la minu-
terie pour faire infuser ses perles de jasmin. Elle m'a
redemandé si Max fumait et chaque fois je pensais à
la Vierge Marie en lui mentant. Son mari étant décédé
d'un cancer du poumon, Murielle jugeait sévèrement
quiconque osait griller une cigarette sous ses yeux. Elle
n'hésitait d'ailleurs jamais à sortir la photo de Jacques,
son défunt mari, et à la brandir sous les yeux des
fumeurs qu'elle croisait dans la rue.

Mozart se précipitait sur la moindre graine que je
laissais tomber au sol. D'un bond, il a sauté sur mes
genoux et s'est mis à se tortiller pour que je le caresse.
Il laissait sur mon chandail de laine des pellicules
blanches que je balayais au fur et à mesure.

Murielle vieillissait.

Je l'ai aidée à arroser ses plantes comme elle me
l'avait demandé et lui ai proposé de s'étendre pendant
que je ferais la vaisselle. Elle ne s'est pas fait prier. De
temps à autre, elle s'étirait le cou pour me donner
des consignes qui ressemblaient plutôt à des ordres.
«Non, pas dans cette armoire! Placez-le plutôt sous le
poêle.» Elle aplatissait son oreiller avec son poing et y
redéposait sa tête en prenant soin de ne pas abîmer sa
coiffure. Puis elle s'est endormie.

Dehors, il pleuvait. J'ai profité du fait qu'elle dormait sur ses deux oreilles pour lui donner un coup de main avec les tâches ménagères. À l'aide d'une brosse et d'une paire de ciseaux, j'ai libéré Mozart de ses nœuds. J'ai sorti les serviettes, les nappes et les napperons des armoires pour partir une brassée. J'ai balayé la poussière accumulée sur le plancher de bois franc, nettoyé les résidus de savon dans la salle de bain avec une éponge que l'ai laissée sécher sur la tête de la Vierge Marie. J'ai regardé Murielle dormir un moment et je suis redescendue. Il y avait trois mégots de cigarettes écrasés sur les marches devant chez moi. Loïc avait dû réfléchir longuement avant de frapper à ma porte.

Chapitre 11

Six jours ont passé sans que j'aie de nouvelles ni de l'un ni de l'autre. Il me semblait pourtant que j'avais senti l'odeur de cigarette de nombreuses fois en passant près de la porte d'entrée. Comme si Loïc s'était installé dans la cage d'escalier pour fumer en attendant que je sorte de chez moi. Je m'étais retenue de toutes mes forces pour ne pas scruter les environs à travers mon œil magique. Chaque fois je m'étais assise, le dos bien appuyé contre la porte d'entrée, puis j'avais attendu que l'odeur se dissipe. Mis à part pour aller tendre l'oreille contre la porte de chez Murielle le matin et le soir, j'étais restée enfermée dans mon trois et demie pendant tout ce temps. J'avais avalé quelques cuillerées de soupe bouillante et des grands verres de lait de soya à la vanille.

L'orage a éclaté. Je me suis précipitée pour fermer les fenêtres et les rideaux, j'ai éteint tous les électros et je me suis barricadée dans ma chambre. À quatre pattes dans mon garde-robe, j'ai avancé la main à tâtons pour agripper la petite boule chaude et tremblotante qui s'y réfugiait. Si l'espace n'avait pas été aussi restreint, je me serais jointe à Shadow jusqu'à ce que l'orage passe. Je l'ai déposée sous mes couvertures et j'ai sorti mon cahier noir de ma table de chevet. Des centaines de points d'interrogation tapissaient les pages. J'ai mis mes écouteurs, et en voyant les titres défiler sur mon écran tactile, j'ai posé mon doigt sur la chanson *Over My Head* de The Fray. Je me suis mise à dessiner des dizaines de petites flèches qui allaient dans tous les sens. Les noms de Max et Loïc se tenaient aux extrémités de la page. J'ai tenté d'ajouter mon nom quelque part à travers les flèches, sans y parvenir, de peur de le positionner un centième plus près du nom de Loïc que de celui de Max, ou l'inverse. Je me suis efforcée de dessiner un rond noir exactement à mi-chemin entre leurs deux noms. J'ai retracé chacune des lettres de leurs noms pendant un long moment, jusqu'à ce que le papier imbibé d'encre se déchire sous la pointe de mon stylo.

Let's rearrange
I wish you were a stranger I could disengage
Just say that we agree and then never change
Soften a bit until we all just get along
But that's disregard
Find another friend and you discard
As you lose the argument in a cable car
Hanging above as the canyon comes between

La chanson jouait en boucle depuis presque une heure. Chaque fois, au moment où le chanteur prononçait le tout premier mot, j'entendais le bruit du cadre qui avait éclaté en mille morceaux dans le corridor. Il me semblait qu'il faisait partie de la chanson et que je l'entendrais désormais à chaque écoute. La première fois, il y avait de ça six jours, j'avais arrêté la musique et j'avais marché sur la pointe des pieds jusqu'au corridor, certaine que quelqu'un était en train de saccager ma maison. J'avais reculé la chanson quelques fois pour savourer.

Le volume a diminué pour m'indiquer un appel entrant. Ces dix chiffres m'étaient inconnus.

418-871-7625

Max, ça ne pouvait être que lui. J'ai tenu l'appareil qui vibrait au creux de ma main sans même songer à répondre. Lorsqu'il s'est arrêté de sonner, j'ai regardé l'onglet « Messagerie » en attendant qu'apparaisse un rond rouge m'indiquant qu'on venait de me laisser un message.

Rien.

La chanson a repris là où elle s'était arrêtée. Étendue sur le dos, j'ai fermé les yeux. À peine quelques secondes plus tard, le volume a diminué à nouveau et les vibrations ont repris. J'ai laissé sonner quelques coups avant de poser les yeux sur mon écran.

Loïc Vallières.

Un nœud s'est formé au creux de ma gorge. Mes yeux sont restés fixés sur mon téléphone pendant plusieurs minutes.

Un point rouge.

En quinze ans d'amitié, jamais Loïc ne m'avait laissé de message vocal. J'ai composé mon mot de passe.

Loïc ne parlait pas. Il était dans un restaurant, probablement quelque part non loin de chez moi. Grâce à mes écouteurs, je captais les moindres bruits. J'entendais des assiettes s'empiler et des transactions se conclure à la caisse. Je l'ai entendu déchirer le bout d'un sachet de sucre. Il me semblait avoir entendu les grains glisser un à un vers le liquide brunâtre. Fidèle à ses habitudes, Loïc avait dissous le sucre avec sa minuscule cuillère qu'il raclait contre le fond de la tasse. Il a pris une première gorgée en sapant. J'imaginais les plis sur son visage. Je l'entendais tourner les pages d'un livre. Peut-être était-il juste en bas de chez moi, au Graffiti, où nous allions souvent nous asseoir pour lire en silence. En tournant chaque page, je levais les yeux pour vérifier qu'il était bien encore là, mais je ne l'avais jamais surpris en train de faire de même.

J'ai continué d'écouter le message. Je reconnaissais *Give Me One Reason* de Tracy Chapman en musique de fond. Du verre s'est fracassé. On aurait juré qu'un vaisselier complet venait de s'effondrer.

J'ai sauvegardé le message.

Loïc, qui avait toujours refusé que nous formions un couple, s'accrochait à moi d'une nouvelle façon. J'ai repris mon cahier et un feutre rouge. À travers les flèches qui allaient dans tous les sens, j'ai dessiné un rond.

Je n'avais eu aucun désir depuis la dernière fois où Loïc et moi avions fait l'amour. Alors que dehors l'orage n'en finissait plus d'éclater, l'index de ma main droite s'est faufilé sous l'élastique de ma culotte pour découvrir mon sexe qui s'était préparé sans que je ne m'en aperçoive. Je n'aurais su dire lequel des deux visages qui me hantaient en était le responsable. Juste au moment où j'atteignais l'orgasme, il me sembla avoir reconnu une odeur de cigarette.

Chapitre 12

Depuis la veille, Max avait appelé trois fois. «Salut, Maeve. Rappelle-moi.» Je ne m'étais toujours pas décidée à le rappeler.

Le soleil avait enfin daigné refaire son apparition après toutes ces journées de pluie consécutives où je m'étais barricadée dans ma maison. Depuis une semaine, j'avais dévoré un roman par jour, gribouillé une vingtaine de pages de mon cahier et épuisé ma réserve de boîtes de soupes aux champignons. Je me suis lavée en vitesse, j'ai enfilé une robe soleil et je me suis mise à faire tout le ménage que j'avais remis à plus tard. Aretha Franklin m'aidait à venir à bout de mon plancher mieux que n'importe quel autre produit nettoyant. Pendant que j'essorais la moppe au-dessus de l'évier, mon téléphone a sonné. J'ai marché prudemment sur mon plancher luisant pour me rendre jusqu'à ma table de chevet.

418-871-7625.

— J'ai couché avec Loïc.

— Moi, j'ai déjà couché avec une Maude, une Rosalie, une Ashley, une Camille, une Catherine, une

Marie-Pierre, une Mélissa, une Chloé, une Ève… J'ai même déjà essayé un Charles, ça reste entre nous, hein ? Mais les meilleures, c'est les Laurie. *Damn*, Laurie… Mais bon, Loïc, tu dis ? Tu me le recommandes ?

J'ai réalisé que je ne lui avais jamais dit un traître mot à son sujet.

— Humfp.

— Humfp ? Bon… Je t'appelais pour te demander si t'avais envie qu'on aille déjeuner demain.

Je me suis raclé la gorge avant de lui répondre.

— Oui, okay.

— Cochon Dingue, René-Lévesque, 9 h, je réserve sur la terrasse.

— Oui, okay.

— Parfait, à demain.

— À demain… Max ?

— Hein ?

— Qui c'est, Laurie ?

Il a ri.

— À demain, Maeve.

Quand l'heure du souper est arrivée, j'ai décongelé un petit contenant de sauce à spaghetti que j'ai mélangée à des pâtes fraîches. J'en ai à peine avalé deux bouchées.

J'ai versé exagérément du gel moussant dans la baignoire et j'ai allumé les trois petites chandelles suspendues près du miroir : elles apparaissaient ainsi comme six. J'ai passé un long moment à imaginer notre déjeuner du lendemain. Allait-il déjà avoir grignoté quelque chose ? Aurait-il pris un café avant de venir me rejoindre ? Allait-il avoir une apparence soignée qui signifierait qu'il était levé depuis un bon moment ou serait-il évident qu'il sortait tout droit du lit ? Le temps était compté si je voulais avoir une chance de rendre visite à Murielle avant qu'elle ne se mette au lit.

Une fois installée confortablement dans un de ses fauteuils fleuris avec un biscuit dans une main et un verre de lait dans l'autre, je me suis mise à lui raconter, la bouche pleine et de façon désorganisée, tout ce qui s'était passé durant les dix derniers jours.

Murielle avait été témoin de toutes mes histoires d'amour qui s'étaient terminées en queue de poisson, alors que je ne connaissais que l'histoire de son mari, mort à présent. Elle me l'avait racontée en détail plusieurs fois et je ne m'en lassais jamais. « Prends ton temps. » Elle me le répétait sans cesse.

— Alors, qu'est-ce que vous attendez ?

— Je prends mon temps…

— Pourquoi ? Foncez !

— Vous qui m'avez toujours dit de ne pas précipiter les choses…

— Oui, parce que vous n'aviez jamais l'air certaine de vous.

Il fallait bien qu'elle soit sénile pour ne pas percevoir que j'étais littéralement déchirée en deux.

— Vous n'avez pas trente-six mille vies à vivre, ma chère. Et vous n'êtes pas éternelle non plus. Ça me rend malade de vous voir perdre votre temps seule chez vous, alors que vous mourez d'envie d'être à ses côtés. Mon mari est mort à présent et si j'avais su, je n'aurais pas perdu une seconde de son vivant à me laisser désirer dans mon coin. Alors s'il vous plaît, remontez chez vous et dormez si vous voulez avoir une chance que les deux pouces de cernes qui se trouvent sous vos yeux soient partis demain matin. D'ailleurs, j'ai sommeil, moi aussi. Débarrassez, et revenez me raconter la suite des événements lorsqu'il y en aura une.

Elle était comme ça, Murielle, douce et sévère. Je l'ai embrassée et je me suis dirigée vers la porte, comme elle me l'avait ordonné.

— C'est encore ce Loïc qui vous rend malade ?

Je ne me suis pas retournée.

Chapitre 13

8 h 02.

Ce sont les premières notes de la chanson *What We've Built* de Fifth Hour Hero qui m'ont réveillée. En allant ouvrir la fenêtre de ma chambre, j'ai espionné dans la rue deux individus dans la trentaine qui, cafés à la main, s'échangeaient des regards furtifs à la sortie d'un restaurant. Ils venaient clairement de passer la nuit ensemble, à l'insu de leurs conjoints respectifs. Étrangement, il était impossible de détecter le moindre signe de culpabilité sur leur visage. On avait affaire à des récidivistes. Ils se sont quittés sur le bord du trottoir en s'embrassant maladroitement sur le coin de la bouche. Ces gens allaient continuer leur journée normalement, rentrer chez eux le soir et serrer leurs enfants dans leurs bras. Juste avant que l'homme ne regagne le volant de sa BMW, je l'ai écrasé entre mes doigts. La femme est restée sur le trottoir, les yeux rivés sur le derrière de la BMW qui s'en allait en faisant un vacarme épouvantable. Je l'ai prise en pitié. Assise sur le rebord de ma fenêtre, je lui ai caressé les cheveux avec mon index, en prenant soin de ne pas la décoiffer.

Étrange sensation : découvrir cette faille chez des semblables m'avait déculpabilisée. J'ai ramassé au passage une camisole et une paire de jeans et je me suis arrêtée devant l'endroit où reposait une semaine plus tôt un cadre vitré renfermant une photo de moi au spectacle des Fray.

Fred et moi ne nous étions pas fait prier quand, quelques années plus tôt, Loïc avait stationné la voiture de ses parents dans la cour d'école et brandi sous nos yeux trois billets pour leur concert au Métropolis. Quand la cloche priant les élèves de se rendre au dernier cours de la semaine avait sonné, nous nous étions précipitées vers la voiture : Fred avait pris place auprès de Loïc en s'introduisant par la fenêtre, et je m'étais assise à l'arrière, d'où j'avais pu les observer pendant tout le trajet. Fred avait un effet neutralisant sur notre dynamique initiale, sur notre désir de déterminer une fois pour toutes lequel de nous deux était supérieur à l'autre. Elle ramenait l'équilibre au sein d'une relation qui en avait toujours manqué.

Au concert, en voyant le jeu de séduction qui s'intensifiait entre nous trois, je m'étais résignée. Je ne me battrais pas pour conserver ma place privilégiée auprès de Loïc. Fred nous était complémentaire, comblait un vide que je n'avais jusqu'alors jamais remarqué. Pendant que la foule réclamait un rappel, Fred et moi nous étions frayé un chemin jusqu'aux toilettes. En chemin, j'avais glissé ma main dans la poche arrière de ses jeans. À peine quelques mètres plus loin, elle s'était arrêtée, avait passé sa main sur ma nuque et m'avait embrassée violemment. Je n'avais rouvert les yeux qu'une fois *Over my Head* terminée.

Le lendemain matin, avant de reprendre la route, nous avions fait halte dans une boutique de tatouage. Nos poignets seraient à jamais marqués de nos initiales.

Sous la douche, je me suis longuement attardée sur mon poignet gauche. Les premières lettres de nos noms avaient pâli.

En pigeant au hasard des sous-vêtements dans mon tiroir, je suis tombée sur le morceau de tissu gris élastique. Armée d'une paire de ciseaux, je l'ai découpé en grossiers triangles, que j'ai regardés tomber un à un dans la poubelle. J'ai pigé à nouveau.

La chaleur s'est infiltrée dans la cuisine dès que j'ai ouvert la fenêtre. Tant mieux si j'étais d'avance, ça me donnerait l'occasion de prendre mes aises avant qu'il arrive. Lorsqu'il s'excuserait de son retard, je lui mentirais ouvertement : «Je viens à peine d'arriver, assieds-toi.» J'ai nourri la bête et monté l'escalier qui nous séparait, Murielle et moi. La tête appuyée contre sa porte, je pouvais entendre une de ces émissions dans lesquelles il faut hurler la réponse avant l'équipe adverse. «On va se rendre en finale, Mozart, n'est-ce pas qu'on va se rendre en finale?»

J'ai descendu la rue Cartier en évitant de marcher sur les lignes de trottoir. Ça me faisait déambuler d'une drôle de façon, à un rythme étrange. En passant devant le restaurant où les amants s'étaient laissés un peu plus tôt, j'ai arraché une tige dans un des arrangements de fleurs. Je l'ai déposée à l'endroit où la BMW était stationnée.

Avais-je posé ce geste pour marquer la fin d'une histoire ou le début d'une autre? Sous mes pieds, le vent chaud faisait danser les fameuses petites particules vertes.

Arrivée au Cochon Dingue, j'ai demandé à la jeune fille de me conduire à la table réservée au nom de Max. Toutes les serveuses de cette chaîne de restaurants avaient exactement le même profil. Elles étaient toutes jolies, simples, efficaces, bien mises, et prêtes à repartir avec votre mec. Elles avaient des visages angéliques et auraient toutes pu s'appeler Mathilde ou Camille. On ne savait jamais si elles étaient réellement sympathiques ou simplement en train de se magasiner un pourboire. La jeune fille m'a fait signe de la suivre jusqu'à la terrasse, où elle m'a désigné une table du bout du doigt.

Il était déjà là.

Buena Vista Social Club résonnait dans tous les haut-parleurs et son teint foncé ajoutait à l'ambiance exotique. La charmante serveuse est repartie en se faisant aller le derrière.

Mes yeux se promenaient entre son journal, sa tuque, ses mains et un coffret de CD sur mon napperon. Je bloquais le passage à un serveur les bras chargés d'assiettes, mais j'étais incapable de faire un pas en avant. Je me suis demandé quelle expression faciale j'avais. En général, c'est mauvais signe quand on se pose la question.

Il a déposé ses lunettes de lecture sur la table avant de se lever pour m'embrasser. J'ai eu le réflexe d'avancer, libérant enfin la voie au serveur qui commençait à s'impatienter. Je lui ai plaqué deux becs dans le vide. Ceux qu'on échange avec les tantes qui sentent trop le parfum ou qui risquent de nous laisser des traces de leur rouge à lèvres corail sur les joues.

— Tu sens la noix de coco. T'es en avance, non ?

— Toi aussi…

— Je sens la noix de coco ?

— Non, t'es en avance.

— J'ai quitté la maison plus tôt pour reconduire Kancelle chez une amie.

La serveuse est venue nous demander ce qu'on voulait boire.

— Un bol de café au lait, s'il vous plaît.

— Un autre allongé. Double, s'il vous plaît.

J'étais déçue qu'il ne m'ait pas attendue pour partager le premier café, mais comme j'avais un faible pour les amateurs de doubles, ça s'annulait. Les doubles avaient quelque chose de masculin. J'avais déjà tenté de l'expliquer à Loïc, qui avait levé un sourcil, sans rien ajouter. Il m'avait souri, puis il avait pris une gorgée de son allongé, qu'il avait rempli de sucre et de crème spécialement pour m'énerver.

— C'est quoi, le CD ?

— Des trucs qui vont te plaire.

J'ai soulevé le disque. Il y avait un personnage dessiné au stylo vert sur le napperon, un petit visage endormi.

— Ah ! ai-je laissé échapper un peu plus fort que je ne l'aurais souhaité. C'est toi qui as fait ça ?

— En t'attendant.

Il devait être arrivé depuis un moment déjà, le dessin était détaillé.

— Tu te débrouilles bien !

La serveuse est arrivée avec nos cafés.

J'étais contente d'avoir désormais un énorme bol derrière lequel je pouvais me cacher au besoin. Max m'intimidait. Je me suis mise à rouler nerveusement le coin de mon napperon en papier. Il me parlait de Kancelle et d'une certaine Alex, mais je ne faisais pas le lien entre les deux. J'attrapais quelques mots au vol, mais la plupart d'entre eux s'évaporaient en chemin jusqu'à moi. Je pensais m'être souvenue de son corps dans les moindres détails, mais je m'apercevais que bien des choses m'avaient échappé.

Une cicatrice d'un centimètre au-dessus de son arcade droite.

Une tache jaune au milieu de son œil.

Une façon douce et étrange de mordre sa langue entre ses phrases.

Quand la serveuse est arrivée pour prendre nos commandes, je n'avais pas ouvert le menu. Peu aventurière, j'ai opté pour les bénédictines au canard. Il a choisi le déjeuner santé.

Il buvait beaucoup plus vite que moi, le crema ne laissait pas de traces à l'intérieur de sa tasse, alors que la mienne avait déjà plusieurs rayures. Après chaque gorgée, je la redéposais sur le dessin. Je m'exclamais en la reprenant, comme un enfant avec qui on joue à cache-coucou, encore surpris de nous voir sortir de derrière notre main après trente et une fois.

— À quoi tu penses, Maeve ?

Je me voyais mal lui dire que j'étais en train de penser à des noms pour nos enfants. Que j'avais plus envie d'aller frencher sur un banc de parc que d'avaler ce déjeuner commandé par principe. Que chez moi, j'avais un cahier rempli de points d'inter-rogation et une poubelle pleine de triangles gris, et qu'hier, j'avais eu un orgasme en pensant moitié à lui, moitié à Loïc.

— T'as des projets pour la soirée ?

— Oui, je vois quelqu'un ce soir, ai-je menti en flattant le personnage sur mon napperon.

La serveuse est arrivée avec nos assiettes, avant de repartir, poivrière sous le bras.

— Hein ! C'est ça que j'aurais dû prendre.

— Tu vois, moi, j'ai pas envie de ça.

Il a levé son index et son majeur, auxquels il a fait faire une rotation de cent quatre-vingts degrés. *Switch ?* Je lui ai filé mon assiette et il m'a filé la sienne.

— Ça, c'est très drôle.

L'appétit m'est revenu, suivi de l'envie de fumer, et de l'envie de lui.

Je me suis levée une énième fois pour passer aux toilettes. Je maudissais ma mère de m'avoir conçue avec une si petite vessie. Quand je suis revenue, la serveuse placotait avec Max. Elle sortait et remettait nerveusement le pied dans son soulier à talon en replaçant une mèche de cheveux derrière son oreille au fur et à mesure qu'elle tombait sur son joli visage.

Elle m'énervait, moi qui n'avais jamais réellement éprouvé de jalousie envers les filles qui tournaient autour de mes copains. *Copain*, il me semblait que ce mot était ridicule. La serveuse riait aux éclats. Je l'ai écrasée entre mon pouce et mon index. Trois fois, même, avant de regagner ma place. Elle s'est aussitôt éclipsée. Je l'ai regardée se faufiler entre les tables comme une anguille.

J'ai proposé qu'on sorte prendre l'air. Derrière moi, du verre s'est fracassé sur le sol. Je ne me suis pas retournée. J'ai respiré un bon coup, puis j'ai souhaité en secret que cette serveuse qu'on applaudissait bêtement soit la nôtre. Max a réglé l'addition, j'ai tipé exagérément Mathilde ou Camille pour lui faire de faux espoirs, et on est sortis du restaurant.

Le soleil plombait sur nous, coin Cartier et René-Lévesque. La Golf était stationnée juste devant le restaurant, et je ne comprenais pas pourquoi je ne l'avais pas aperçue ce matin. Si j'avais su qu'il serait déjà assis à la table à mon arrivée, j'aurais choisi une expression faciale plus adéquate, moins embarrassée.

On s'est assis dans les marches de l'entrée du restaurant. Il a passé son bras autour de mon épaule, puis il m'a tendu une cigarette pour que je l'allume.

— Tu trouves pas ça spécial, toi?

Il effleurait du bout des doigts une petite fleur jaune qui avait poussé dans une craque de trottoir.

— Quoi, ça?

— Ben, que cette fleur-là ait poussé sans terre ni attention particulière? Chez moi, j'ai des plantes qui ont tout ce qui leur faut et qui sont pas foutues de pousser. Elles ont les racines plantées dans une terre qui coûte une fortune, de l'engrais dans la bonne période, du soleil… Je les taille, je les aime. Pis crisse, pas moyen de les faire fleurir.

Je lui ai filé la cigarette.

— Ouais, c'est vedge.

J'ai ravalé ma salive en regardant aussi loin que possible, de l'autre côté de la rue. Avec autant de délicatesse qu'il en avait eu avec la fleur, il a essuyé la larme sur ma joue gauche. Il s'est étiré le bras pour faire de même avec ma joue droite.

— On appelle ça une fleur de macadam, m'a-t-il dit au creux de l'oreille.

— J'sais.

On a marché quelques coins de rue, question de faire descendre graduellement notre repas. Je me suis arrêtée devant un restaurant où deux immenses palmiers trônaient de chaque côté de la porte.

— C'est exactement ça qu'il me faut dans mon salon.

— Ouais, c'est vrai.

Il a ramassé le palmier et s'est mis à courir vers la voiture.

— Qu'est-ce tu fais là, maudit mongol?

— Ouvre-moi la porte, grouille. Il m'a lancé son trousseau de clés en pouffant de rire derrière son masque de feuillage. J'hésitais entre lui foutre mon poing sur la gueule et lui enlever ses vêtements.

— Envoooooooye! J'vais l'échapper.

— Tu vois ben que je fais ce que je peux! Arrête de me crier après!

— J'ai pas crié!

Quand je suis parvenue à ouvrir la porte, il a mis le palmier à l'arrière de la voiture, puis nous nous sommes dépêchés à repartir. Je me voyais dans le rétroviseur, j'avais une tête complètement effrayée. Quand j'ai constaté qu'aucune voiture de police ne nous poursuivait, j'ai retrouvé l'usage de la parole.

— Okay.

— Okay quoi?

Je me suis retournée pour valider que je n'avais pas rêvé, qu'il y avait bien un palmier sur la banquette arrière. Puis, j'ai ouvert la fenêtre et me suis sorti la tête en dehors de la voiture.

— AHHHHHHHHHHHH HAAAA HAAAAA!

— Je peux pas croire que t'as mis tout ce temps à te laisser aller.

— AHHHHHHHHHHHH HAAAAAAAAAAAAA HAAAAAAAAAA!

— Ayoye, j'ai vraiment un tas de choses à t'apprendre, Maeve.

Il a garé la voiture devant chez moi.

— Est-ce que la personne que tu vois ce soir aura la gentillesse de t'enduire d'aloès ? m'a-t-il demandé en sortant la plante qui me semblait avoir doublé de volume en chemin.

J'avais oublié : j'avais inventé que je voyais quelqu'un.

— Tu sais, quand on a été trois ans célibataire, il y a un tas de choses qu'on apprend à faire tout seul.

Je lui ai tenu la porte de l'immeuble pendant qu'il rentrait le palmier. En refermant derrière moi, j'ai reconnu son reflet dans la porte.

Loïc.

Il a retiré un de ses écouteurs, décoincé la cigarette qu'il s'apprêtait à allumer d'entre ses lèvres, puis il a descendu les marches. Lentement.

— Tiens, salut, ai-je lancé la première.

Il m'a répondu d'un signe de tête. Voyant que Max déposait le palmier par terre pour lui tendre la main, il a retiré le deuxième écouteur sans pour autant arrêter la chanson. Ils se sont serré la pince sans échanger leurs noms. Sans jamais s'être vus, ils s'étaient reconnus.

— Loïc, Max, Max, Loïc.

Les deux m'ont regardée comme si ce que je venais de dire était complètement absurde. Ils auraient pu se passer de présentations. Loïc a remis un de ses écouteurs.

— J'me tire, j'ai du linge à plier. À la prochaine.

Loïc n'avait jamais plié de linge de sa vie. Il a posé sa main sur l'épaule de Max, puis il a poussé la porte en remettant son capuchon. Max m'a suivie jusque chez moi. Avant de s'en aller, il a replacé une mèche de cheveux derrière mon oreille.

Je l'ai regardé partir.

Chapitre 14

Quand j'ai posé un pied dans la maison, Shadow ne s'est pas précipitée pour venir me voir. J'ai compris que Loïc était venu pendant mon absence, il avait nourri la bête. Elle s'était empiffrée, puis endormie quelque part, sans quoi elle aurait déjà été en train de se rouler à mes pieds. J'ai transporté ma nouvelle plante jusqu'au salon en zieutant l'intérieur de mon appartement. J'ai mis un certain temps à réaliser qu'un nouveau cadre remplaçait celui qui avait éclaté en miettes une semaine plus tôt. Il s'agissait d'une photo de moi, que Loïc avait prise pendant une fin de semaine de camping entre copains du secondaire. J'avais la gueule de bois, et j'attendais désespérément que la braise colore ma tranche de pain.

En plaçant la compilation que Max m'avait offerte dans la chaîne stéréo de ma chambre, j'ai reconnu la forme des hanches de Loïc sur ma couette. Il s'était assis sur mon lit. J'ai siroté mon vin en me laissant bercer par Bob Dylan et Bashia Bullat. Au bout de quelques chansons, j'ai fait une boule avec ma literie pour la laver à nouveau. Au cycle le plus long.

Plus la soirée avançait, moins j'avais envie de cuisiner. J'ai pris mon sac à bandoulière sur la patère de ma chambre, j'ai grimpé d'un étage avant de descendre dans la rue, où les terrasses étaient encore bondées de gens qui discutaient à la lueur d'une chandelle. J'en ai choisi une au hasard, où on s'est empressé de m'assigner une place, près d'un mur de vigne. J'entendais malgré moi des parcelles de conversations des gens qui passaient sur le trottoir. Mes longues années de célibat m'avaient appris à apprécier les soirées au restaurant en solitaire. Je m'étais même habituée à me faire regarder avec pitié.

Quand le serveur m'a demandé si je désirais un apéro en attendant le menu, je lui ai dit que je savais déjà ce que je voulais. À peine cinq minutes plus tard, ce qui avait suffi pour que je me replonge dans Murakami, il a déposé un grand bol de soupe stracciatella devant moi. J'ai dévoré simultanément mon roman et ma soupe et refermé le livre en avalant la dernière goutte. Le rythme lent de *Autumn Leaves*, version Eva Cassidy, m'avait plongée dans la nostalgie.

— La mystérieuse personne que tu devais voir t'a posé un lapin?

Cette voix ne m'était pas étrangère.

— Salut, Jack.

Hubert se tenait juste à côté. Il portait une camisole blanche qui me laissait voir pour la première fois son bras coloré par une espèce d'Indiana Jones accoté sur une vieille bagnole. Ça détonnait drôlement avec le reste de son accoutrement. Mal à l'aise, j'ai ajouté :

— En fait…

— On s'en allait prendre un verre, ça te dit? On le dira pas à Max que finalement t'avais rendez-vous avec un ami imaginaire. Ni que vous êtes sortis avec nous.

J'ai laissé un billet de vingt dollars sur la table et j'ai sauté par-dessus la clôture en vigne. Je me suis retrouvée sur le trottoir avec une longue maille dans mes leggings.

— Tu me dois une paire de leggings.

On avait à peine les deux pieds dans le hall du Turf que Jack réclamait déjà «quatre rhums and coke, moussaillon!»

— Quatre?

— Oh? Dis-moi pas qu'on a oublié ton ami imaginaire au resto?

J'ai préféré ne rien répondre. Les quatre assis autour d'une table, nous nous sommes mis à jouer à une série de jeux qui visaient à nous mettre K.O. avant la fin de la soirée. Notre ami imaginaire s'avérait maintenant être une grande rousse surnommée Christelle et étudiante en microbiologie. Jack répondait au cellulaire à peu près aux cinq minutes et à tout moment il se penchait vers la gauche en disant: «Qu'est-ce que tu dis, Chris? Tu as soif? Une pinte de blonde pour la jolie demoiselle je vous prie!» en désignant la chaise vide.

Commençant à ressentir les effets de l'alcool, je me suis rendue aux toilettes en vérifiant s'il n'y avait pas un message de Max ou de Loïc sur mon cellulaire.

Connaissant Loïc, il ne me donnerait pas de nouvelles avant quelques jours. Je n'avais ni message texte ni appel manqué. J'ai composé le numéro de Max, sachant très bien que je ne l'appellerais pas. Qu'aurais-je pu lui dire ? « Parle-moi », peut-être.

En revenant dans la salle, je suis tombée sur Jack, une grande brune et son décolleté à portée de la main. Trop soûl ne serait-ce que pour penser à faire preuve de discrétion, il avait les deux yeux rivés sur son énorme poitrine et hochait la tête en réponse à tout ce qu'elle avançait. J'ai regardé la scène du coin de l'œil pendant un bon moment. La musique, les lumières, tous ces gens que je ne connaissais pas vraiment. J'avais envie de m'enfuir par la sortie de secours, de rentrer chez moi pour m'enrouler dans une couverture de laine. Dans le hall d'entrée, je les ai aperçus.

Loïc retenait la porte avec son pied pour laisser entrer Max. Ils se sont serré la main, puis sont entrés un à la suite de l'autre. Les deux se sont dirigés aux extrémités de la salle. Max a posé les yeux sur moi.

Il était devant moi et c'est Loïc que je cherchais désespérément du regard, mais c'est Max que je me remettais à chercher dès que j'apercevais Loïc. Je suis revenue sur mes pas et j'ai poussé la porte de sortie, qu'on ne devait utiliser qu'en cas d'urgence.

En mettant le pied dehors, j'ai détecté une odeur de cigarette. Au coin de l'édifice, une fille à peine plus âgée que moi fumait nerveusement. Elle avait détaché la partie supérieure de son tablier, qui retombait sur son ventre, et elle lançait des petits cailloux sur la pelouse. J'ai toussé un peu pour lui signaler ma présence.

— Salut, me dit-elle.

— Salut. Je peux m'asseoir ?

Elle s'est retournée vers moi, le visage rouge, les yeux bouffis.

— Seulement si t'as des clopes, c'est ma dernière.

Je me suis assise à ses côtés, j'ai sorti une cigarette de mon paquet, puis je la lui ai tendue. Elle l'a allumée avec ce qu'il restait de la sienne.

— Mauvaise journée ? ai-je risqué.

— Marié. Enfants.

Elle s'est remise à lancer des cailloux, et j'ai fini par voir sur quoi ils atterrissaient. Ce petit bruit métallique, à peine audible, était le contact du caillou sur le côté droit d'une BMW. La BMW. Celle qui était repartie à toute allure le matin même, laissant derrière elle un nuage de poussière et une jeune femme esseulée sur le trottoir.

— Ce matin, je t'ai flatté les cheveux à travers la fenêtre. Pour te consoler.

Elle s'est retournée vers moi.

— C'est de la poésie, c'est ça ?

— Euh, ouais. Si tu veux.

— Je te juge pas.

— Ah ben, merci.

— Anne, mon nom, c'est Anne.

— Maeve. Comme la fille dans *Sinbad le marin*.

Elle continuait à lancer des petits cailloux sur la voiture quand la porte des cuisines s'est ouverte derrière nous. On a sursauté toutes les deux. L'homme en question, marié/enfants/BMW, est sorti en parlant au téléphone tout en retirant son uniforme de cuisinier. Elle a placé sa main devant ma bouche pour que je me taise.

— Les enfants dorment? Parfait. Oui, grosse journée. Toi? Ah non? J'ai faim, et soif. On a ce qu'il faut à la maison? Décante la bouteille de chianti, j'arrive dans une vingtaine de minutes. À tout de suite. Je t'aime aussi.

Anne m'avait prise par la main, tout naturellement, en l'écoutant parler au téléphone. Quelques secondes après avoir raccroché, il a texté quelques mots. La lumière de son écran, bleutée, me laissait entrevoir son visage. Sur les genoux de l'amante, le téléphone s'est illuminé.

« T'es où? »

Elle s'est remise à lancer des cailloux sur sa voiture, en silence. Il s'est retourné vers nous, mal à l'aise, et s'est installé au volant avant de partir à toute vitesse, ce soir encore.

— Trou de cul.

— Trou de cul.

Anne s'est levée en m'ordonnant de la suivre. J'ai obéi. Sur le côté de l'immeuble, près de la porte des cuisines, une petite échelle pour atteindre le toit. Elle a dénoué son tablier, qu'elle a laissé en boule sur le sol. Je l'ai suivie.

Je me suis efforcée de ne pas regarder dans la rue tout de suite. La musique dans le bar était tellement forte qu'on sentait les vibrations sous nos pieds. Je me suis assise en indien. Elle a sorti de son sac une boîte en métal qui contenait une dizaine de joints parfaitement cordés. Elle me l'a tendue. J'ai choisi le plus petit.

— À toi l'honneur.

J'ai entendu la voix de Max sur le trottoir, juste à la sortie du bar. J'ai fait signe à Anne de s'approcher sans faire de bruit.

— Lui, c'est Max.

J'ai coincé le joint entre mes lèvres.

— Hummm… Pas mal. Il est où, le problème ?

Loïc venait de sortir à son tour. Le dos appuyé contre un lampadaire, il essayait d'allumer sa cigarette.

— Là.

J'ai allumé le joint.

— T'appelles ça un problème, toi ?

J'ai ri en expirant la fumée.

— Ouais, j'appelle ça un problème.

— *Weird*.

J'ai pointé la fenêtre de mon appartement.

— Regarde, j'ai un plant de verveine citronnelle.

— Y a deux gars complètement canon dans un périmètre d'à peine 50 pieds et tu me parles de fines herbes ?

J'ai pouffé. Je l'aimais bien, cette fille. Elle venait de se coucher sur le dos à côté de moi, je l'ai imitée.

— Je viens souvent ici après mes *shifts*, le soir. Je me laisse bercer.

Elle a sorti son lecteur mp3 de son sac et m'a tendu un écouteur.

— *Get up Kids?*

Dans la poche de mon ouaté, mon iPhone a vibré.

« Maeve, ça va ? »

Je me suis demandé quel effet ça lui faisait d'écrire mon nom. Peut-être l'avait-il tracé avec son index sur le napperon ce matin, en m'attendant. Peut-être l'avait-il distraitement griffonné sur une facture en parlant au téléphone.

— Qu'est-ce que je fais ?

— Tu lui réponds maintenant, ou tu me files son numéro.

Même si c'était une blague, la perspective de devoir le partager m'a agacée.

« Jeudi soir, 19 h, chez vous. Toi, moi, Kance. »

Je me suis approchée du bord de l'édifice pour voir sa réaction. Il a souri, puis il a levé les yeux au ciel. J'ai reculé. Ça a vibré à nouveau dans le fond de ma poche.

MESSAGE TEXTE

« *All right!* »

Quand je me suis retournée vers Anne, elle avait l'air complètement terrorisée.

— T'as un coloc ?

— Nahhh, la sainte paix. Quoi ? On dirait que t'as vu un fantôme.

Elle a pointé la fenêtre de mon appartement, où on pouvait apercevoir une silhouette.

— Y a quelqu'un dans ta cuisine en ce moment même. Quelqu'un qui s'occupe de ton plant de fines herbes.

— Je te présente Loïc Vallières.

— Qu'est-ce qu'il crisse chez vous en pleine nuit? T'es pas là! Comment il est entré?

— Calme-toi! C'est moi qui lui ai donné le double des clés.

— *Freak*!

— Il viendra plus, Loïc, si ça devient plus sérieux avec Max. Il connaît les limites. De toute façon, lui aussi il a quelqu'un. Adèle.

Son nom me laissait toujours un petit picotement sur le bout de la langue.

— *Freak*! *Freak*! *Freak*!

La lumière de la cuisine s'est éteinte.

— Adèle. Avoue que c'est désagréable de prononcer leur nom, ces filles-là. Moi, c'est Laïla. Si au moins elle pouvait s'appeler Manon, Louise ou Jacinthe. Laïla.

Elle s'est secouée comme s'il venait de lui monter un frisson le long de la colonne.

Loïc est sorti de l'immeuble. J'ai fait signe à Anne de le regarder.

— Où il va? s'est-elle interrogée.

— Aucune idée.

— On le suit.

— On le suit?

— Ouais, grouille!

Elle a ramassé son sac, sa petite boîte en métal et ses écouteurs avant de redescendre. Je l'ai suivie, pas encore certaine que c'était une bonne idée. J'ai repensé à la soirée tranquille que j'avais planifiée.

Je suis stone, il est une heure du matin, je descends une échelle avec une inconnue qui se prend pour Columbo.

Loïc marchait en direction de son appartement.

— Anne, il rentre à la maison, c'est tout. On va pas le suivre jusqu'à son lit.

— Chutttt! Regarde… Il entre dans le dépanneur.

— Il va s'acheter des clopes, c'est tout.

On est restées dans la ruelle, cachées près d'une haie de cèdres en attendant qu'il sorte. Il a poussé la porte, un paquet de cigarettes dans une main et une pinte de lait dans l'autre.

— Bra-vo, Columbo! Il avait besoin de lait. Tout ça, pour ça.

Elle m'a fichu une tape sur l'épaule. Loïc ne marchait pas en direction de chez lui, il revenait sur ses pas. Il fonçait droit sur nous. J'ai remonté le col de mon chandail jusqu'en dessous de mes yeux, pas prête à voir ce qui allait se passer. Il s'est arrêté devant nous, a retiré un écouteur, puis il m'a tendu la pinte de lait.

— Vous êtes les pires espionnes de l'histoire de l'humanité. J'me suis fait un café tantôt, j'ai fini ton lait. Il a posé sa main sur mon épaule avant de repartir.

Je suis restée plantée là avec la pinte de lait.

— Anne, je…

— TChh.

— Ben…

— TCHHh.

— Okay.

— TCHHhh.

— Veux-tu ?

— TCHHHHh.

Elle m'a regardée, sonnée, puis elle s'est remise à marcher.

— Tu sais où me trouver, ai-je murmuré.

Elle a tourné le coin de la rue. Je suis rentrée chez moi en évitant les craques de trottoir.

Chapitre 15

Il n'y a rien de plus désagréable qu'un fou furieux qui frappe à votre porte à 7 h le matin. En mettant un pied hors du lit, je me suis souvenue pourquoi j'avais arrêté de fumer. J'avais un aquarium à la place de la tête. Le vacarme a repris de plus belle. « J'arrive, j'arrive ! »

— Quoi ?

J'ai mis un quart de seconde à la reconnaître.

— Fred ? Qu'est-ce que t'as fait à tes cheveux ?

— Tadammm !

Cette fille était une vraie bombe. Avant de partir en Californie, l'été dernier, elle avait les cheveux aux fesses. Elle tournait sur elle-même pour que je puisse observer les deux côtés de son crâne rasé, en soulevant les quelques pouces de cheveux blonds qui lui restaient.

— T'as un mohawk ? T'es la plus belle fille que j'ai vue de ma vie. Envoye, rentre.

Elle m'a serrée dans ses bras. En écoutant le bruit de ses bijoux qui s'entrechoquaient les uns contre les autres, j'ai eu envie de la secouer pour que ça dure.

J'aurais facilement pu jouer un solo de guiro sur ses côtes.

— T'es donc ben maigre, maudit.

— T'as du café, j'espère ? J'ai traversé la ville pour que tu me fasses un latte.

Elle a déposé son sac dans l'entrée, laissé ses sandales sur le tapis et marché jusqu'à la cuisine.

— T'es arrivée quand ?

— Hier ou avant-hier, je sais plus.

Elle se promenait dans la cuisine en ouvrant les armoires. Elle s'est arrêtée pour sentir mon plant de verveine. J'avais presque oublié son magnétisme, sa sensualité. Chaque fois que je la revoyais, je découvrais un nouveau tatouage, discret, un grain de beauté ou une cicatrice. Elle était déjà en train de se servir dans le pot à café, dos à moi.

— J'ai vu Loïc, hier.

Je me suis fait couler un grand verre d'eau, que j'ai avalé d'un trait en regardant par la fenêtre.

— Tu pourrais pas attendre que j'aie bu au moins deux gorgées de café ?

Elle s'est retournée et m'a tendu la cuillère et le bol qu'elle avait choisis dans l'armoire.

Okay. Pas trop de mousse, mon bol, s'il te plaît.

Elle m'a plaqué un bec sur la joue en passant, puis elle s'est précipitée vers ma collection de CD. Elle a choisi un vieil album de Thursday qui m'a rappelé notre adolescence. Je l'ai rejointe à la table à café, avec dans chaque main un immense bol de latte.

— Bon, j'ai vu Loïc, hier.

— On avait dit deux gorgées… T'as vu Loïc et puis quoi?

— Bahhh, j'ai vu dans sa face. T'as rencontré quelqu'un, c'est clair. Je veux un nom, une nationalité, un NAS, un groupe sanguin, un…

— Okay, ta gueule. Je vais te raconter.

Je me suis levée pour aller chercher des Advil, puis je l'ai invitée à me suivre sur le balcon. Il faisait étonnamment chaud, déjà. Nous nous sommes assises entre deux sacs de terre et le bac de recyclage, et je lui ai tout raconté. Du début.

— Qu'est-ce que tu vas faire, maintenant?

— Je sais pas.

— On le savait, pourtant. Depuis le secondaire, on sait que ce moment-là va arriver. Tu pouvais pas passer ta vie à avoir une relation ambiguë avec Loïc. Il allait falloir que tu choisisses un statut un jour ou l'autre. Tu vas lui demander de te rendre ta clé?

— Non. Il viendra plus, c'est tout.

— Maeve…

Elle s'amusait à démêler la panoplie de bracelets qui décoraient ses poignets.

— Je te dis qu'il viendra plus. Puis c'est important de confier une clé de sa maison à une personne de confiance. Pour quand on est à l'extérieur. Si y arrivait quelque chose…

— Il existe des spécimens particulièrement dévoués et aptes à assumer une telle responsabilité. Ça s'appelle des… attends, le mot me vient pas. Ça s'appelle des… parents! Puis Max, lui? Tu penses qu'il va être à l'aise de savoir que Loïc peut rentrer chez vous n'importe quand?

— Pourquoi il le saurait?

Elle m'a tendu une cigarette.

— Beau début de relation. Tu vas lui en cacher combien, des détails comme ça? Elle a brandi son briquet sous mon nez pour allumer ma cigarette.

Anne est sortie par la porte des cuisines du pub, quelques mètres plus bas. Elle s'est assise au pied de l'échelle pour ramasser des cailloux. Je l'ai observée un moment.

— Elle est drôle, cette fille. Tu l'aimerais.

— Elle a une maladie mentale? Elle lance des roches sur une BMW.

— La BMW de son amant, nuance. Allez, parle-moi de ces Californiens. T'as dû en faire baver plus d'un.

— Je commence par les gars ou les filles?

— Doux Jésus, tu m'as manqué, Frédérique Loiselle. Elle a déposé sa tête sur mon épaule.

— On soupe chez lui ce soir, a-t-elle lancé en diminuant le volume à chaque mot.

— Pardon?

— Elle nous a invitées.

— Qui ça, elle?

— Adèle.

— Tu me niaises, là? Penses-tu vraiment que je vais aller souper chez Loïc et Adèle? On pourrait emmener Max tant qu'à y être? Puis pourquoi pas

Kance ? À la fin de la soirée, on pourrait se mettre tout nus toute la gang pis…

— T'es de mauvaise foi ! Tu penses pas qu'il serait temps d'agir en adultes ? Ça fait deux ans qu'ils sont ensemble. Elle a essayé, souvent, de faire les premiers pas. Il s'en est passé des choses, Maeve, depuis.

— Depuis quoi ?

— Depuis *Les Fleurs de Macadam*.

Elle m'a tendu une autre cigarette, que j'ai acceptée sans broncher.

— J'ai un chapeau en forme de sapin et des cheveux en spaghettis. Je suis un béluga. Ce soir, je soupe chez Loïc et Adèle. Le pancréas est un pays d'Afrique. Tu vois ben, Fred, ça se glisse parfaitement dans une série de phrases absurdes.

— T'es nouille. T'as peur de quoi, là ? Qu'elle fasse bien à manger ? Que ce soit douillet chez eux ? Qu'il n'y ait aucune photo de toi sur les murs ? Que sa collection de CD soit plus grosse que la tienne ? Ça fait combien de temps que t'es pas allée chez lui ?

— Depuis que c'est devenu chez eux.

— Câlisse…

— Tu repars quand ?

— Comment ça, je repars quand ? Je pars pas.

— Depuis que je te connais, tu planifies tes voyages les uns après les autres sans te donner le temps de souffler entre.

— Ah… tu parles de mon voyage dans l'Ouest ? Dans deux semaines… Ayoye ! Pourquoi tu me pinces ?

— Jeudi soir, j'ai invité Max et Kance à souper. Tu viens ?

— Pour distraire la petite pendant que vous vous tripotez ? Pourquoi pas ?

— Non, pour que tu fasses ta paella. Évidemment, tu dis que c'est moi le chef.

— *Deal.* Tu viens souper ce soir, je fais une paella jeudi.

— *Deal.*

— C'est quoi cette odeur divine ?

— Les biscuits sablés de Murielle.

Chapitre 16

On s'en prenait violemment à ma porte. Sentiment de déjà-vu.

— Entre, Fred !

— *Hola !* m'a-t-elle lancé, les bras chargés de bouteilles.

— Ça va mal finir, cette histoire. T'as déjà commencé à parler espagnol.

— À titre informatif, et pour éviter un malaise ce soir, les Brésiliens parlent le portugais et non l'espagnol.

— Merci. Je vais m'en tenir à des hochements de tête et des monosyllabes pour la soirée.

Elle m'a embrassée, a déposé deux rouges dans l'entrée et s'est précipitée dans la cuisine pour mettre le blanc au réfrigérateur.

— T'as une bouteille d'ouverte, j'espère ?

Sentiment de déjà-vu. Elle avait la moitié du corps enfoncé dans le réfrigérateur et cherchait parmi les pots de condiments quelque chose qui puisse la détendre.

— Bon, tant pis.

Elle a marché jusqu'au salon pour revenir avec une bouteille de mon cellier improvisé.

— Tu m'exaspères.

Je l'ai regardée manier l'ouvre-bouteille, faire tourner le vin dans le fond de sa coupe, repousser quelques cheveux qui tombaient nonchalamment sur son front et sa nuque. Elle nous a versé chacune un verre. Elle me détendait, cette fille. Autant que le verre que nous avons siroté au pied du lit en attendant 18 h 15.

Lorsque enfin l'heure est arrivée, je suis sortie de l'appartement pour monter chez Murielle. Elle a mis plusieurs secondes à venir m'ouvrir.

— Je m'en vais souper chez Loïc et Adèle.

Elle m'a tourné le dos sans rien dire. Au bout d'une minute, elle est revenue en me tendant sa paume ouverte. Au creux de sa main, un médaillon de la Vierge Marie. J'ai repensé à l'horrible statuette dans sa salle de bain. J'ai hésité avant de le prendre, ces machins-là m'avaient toujours fait un peu peur. Fred s'impatientait. Murielle m'a embrassée avant de me refermer la porte au nez. J'ai rejoint Fred et j'ai glissé le médaillon dans une pochette de mon portefeuille. Coincé entre un morceau d'écorce censé m'assurer la richesse et un vieux billet de spectacle des Kooks, il ne risquait pas de faire de dégâts.

On a marché les huit rues qui nous séparaient de chez Loïc en évitant les craques de trottoir.

— C'est très beau ce quartier, on marche encore un peu?

— Envoye, frappe, m'a-t-elle ordonné.

— Ce serait pas plus poli de sonner?

— Je te rappelle qu'on est chez un gars qui a la clé de chez vous et qui rentre se faire des cafés en pleine nuit.

La porte s'est ouverte au moment où j'approchais mon doigt de la sonnette. Loïc nous a accueillies, un verre de rhum à la main. Une boucle blonde tombait au-dessus de son œil droit. Il est resté planté dans le cadre de la porte à demi ouverte. J'ai réalisé qu'il portait son chandail des Sainte-Catherines. Je me suis revue dans ma chambre, une heure plus tôt, une pile de linge à mes pieds. Combien de chances j'avais de piger au hasard mon chandail des Sainte-Catherines?

— Beau t-shirt, *dude*, a lancé Fred en plaquant deux becs sur ses joues fraîchement rasées.

J'étais déjà en sueur et j'allais devoir me résigner à garder mon tricot toute la soirée. Adèle nous a embrassées: cette fille sentait le ciel. Ses cheveux foncés lui couvraient la moitié du dos. Je me suis surprise à tracer la forme de son pays sur ma cuisse. Loïc portait les chaussettes de laine rouge et grise que je lui avais tricotées l'hiver de ma première année de cégep.

Adèle nous a fait faire une visite guidée, excitée comme si c'était la première fois qu'on mettait les pieds ici. Nos vieux fantômes se promenaient dans chaque pièce, sans s'occuper de nous.

— Ici, c'est le boudoir.

Dans lequel on a baisé.

113

— C'est un meuble antique que l'oncle de Loïc lui a offert.

Plutôt solide, l'antiquité.

— La salle de bain.

Dieu qu'on a baisé dans cette salle de bain.

— La chambre.

Ai-je besoin d'ajouter quelque chose ?

Dans la bibliothèque de Loïc, coincé entre deux livres de philosophie poussiéreux, *Les Fleurs de Macadam*. Épais livre à la couverture en cuir bas de gamme.

— Vous prendriez quelque chose à boire ?

J'ai cru qu'elle ne nous l'offrirait jamais.

Adèle s'est installée au comptoir de la cuisine, d'où elle finalisait le souper. Ses mains délicates maniaient les couteaux, les casseroles et les aliments avec une aisance impressionnante. Elle s'est emparée de la bouteille de rhum pour en recouvrir les oignons qui crépitaient depuis quelques minutes. Pendant que Fred racontait à Loïc ses derniers exploits en surf, j'ai repensé à notre livre. *Les Fleurs de Macadam*, une centaine de pages remplies de photos de nous trois à l'adolescence, de billets de spectacles, de dessins, de promesses sur des serviettes de table ou des cartons d'allumettes, de poèmes déchirés dans un livre de la bibliothèque, de sable rapporté d'un voyage humanitaire, de bracelets d'amitié, d'étiquettes de bouteilles d'alcool, de feuilles d'arbres, de sachets de sucre de nos bistros favoris. « Les Fleurs de Macadam », c'est le nom qu'avait choisi le directeur de l'école secondaire pour désigner trois jeunes inséparables, à la fois turbulents et fragiles. Nous ne pouvions expliquer les raisons de notre révolte, mais nous nous étions promis de laisser des traces de son passage.

— C'est servi! a lancé Adèle en déposant les assiettes sur la table. Braisé d'agneau, sauce au rhum et au miel, a-t-elle précisé.

J'ai choisi le moment où Fred complimentait la chef pour passer à la salle de bain. Assise sur le comptoir, j'ai inspiré profondément. Une montagne de bijoux débordait de son coffre. Des bijoux de femmes, la plupart en argent, ornés de pierres. Dans un panier près du lavabo, des crèmes pour le jour et la nuit, les mains et les pieds, le visage et le corps, un rouge à lèvres. J'ai laissé couler un peu d'eau du robinet avant de les rejoindre à la table. J'ai pris place sur la dernière chaise libre, entre Loïc et Fred.

— Mmmm... C'est le meilleur agneau que j'ai mangé de toute ma vie! a exagéré Fred.

Loïc m'a lancé un regard exaspéré, certain qu'elle en mangeait pour la première fois. Fred était végétarienne, sauf quand c'était trop compliqué. Comme ce soir, par exemple. « Ce serait pas poli », m'avait-elle dit en chemin.

J'avais la mâchoire barrée à force d'afficher ce même sourire depuis une heure et je mourais de chaud sous mon chandail de laine. Impossible de suivre la conversation entre Fred et sa nouvelle amie. Comment ignorer ces fantômes qui continuaient de vaquer à leurs occupations ? J'avais envie de lui demander s'il les voyait. « Regarde, Loïc, on fait la vaisselle. Regarde, Loïc, on peinture le salon. Regarde, Loïc, on baise sur le banc du piano. » Un bruit violent m'a extirpée de mes pensées. Loïc venait de laisser tomber son ballon de vin rouge dans la salle à manger. En bruit de fond, *Over my Head*. Sous la table, j'ai battu la mesure. Adèle lui a reproché de ne jamais regarder où il mettait les pieds avant de se lever pour aller chercher la moppe. Ils ont poursuivi leur dispute en portugais, au beau milieu de laquelle Loïc est sorti fumer une cigarette.

— Je vais mettre un CD, a proposé Fred.

— Attends, attends que ma chanson finisse.

— Maeve, y a pas de musique.

— Attends juste un peu, une minute.

Elle a posé une main sur mon front, puis elle a rempli ma coupe à ras bord.

Loïc est revenu s'asseoir en même temps que les premières notes de l'album de Leif Vollebekk. En regardant Adèle qui ramassait les morceaux de verre à mains nues, je me suis demandé si les taches rouges sur sa manucure allaient partir. Sang ou vin ? Quel étrange moment de ma vie. Des photos du Brésil étaient éparpillées sur la table, j'écoutais deux chansons superposées en regardant des petits films de fantômes et il m'importait peu de savoir lequel d'entre Loïc et Fred me caressait les pieds sous la table.

Adèle a terminé de ramasser le dégât dans la cuisine et nous a débarrassés de nos assiettes. En s'étirant pour attraper la mienne, elle a accroché l'immense verre de vin que Fred venait de me verser. J'ai regardé cette mare de liquide rouge arriver à pleine vitesse, s'étendre sur la table et imbiber mon chandail de laine. Je sentais des éclaboussures dans mon cou et sur mes bras. Sang ou vin? J'ai levé les yeux pour regarder tout le monde tour à tour.

Silence.

Loïc a penché la tête vers l'arrière et s'est mis à rire. J'ai souri en pensant à mon chandail des Sainte-Catherines. Adèle s'excusait en boucle pendant que Fred saupoudrait la nappe de sel.

Il neige au Brésil.

J'ai refermé la porte de la salle de bain derrière moi. Loïc m'a aussitôt rejointe. Il a rempli le lavabo pour faire tremper mon chandail de laine et mouillé le bout d'une débarbouillette pour laver les gouttelettes de vin dans mon cou.

— *Check*, la Grande Ourse.

Il m'a fait pivoter pour que je puisse me voir dans le miroir.

— J'en ai encore. Derrière l'oreille.

Il a posé les mains sur ma nuque pour lécher une par une les gouttes de vin.

— Y en reste encore, Loïc.

— Non.

— Imagines-en.

Adèle et Fred sont entrées dans la salle de bain.

— J'me sens sale.

— Loïc, va lui chercher un chandail propre.

Loïc, va chercher! Loïc, va chercher!

— Loïc, va rien chercher, je rentre chez moi.

Chapitre 17

J'ai convaincu Fred de me laisser seule pour la nuit. Étendue dans la baignoire, je m'amusais à m'enfoncer la tête sous l'eau. Quinze secondes en dessous, quinze secondes en dehors. J'avais une migraine. La nausée et une migraine. Enroulée dans ma robe de chambre, je suis partie à la rencontre des personnages loufoques de Nicolas Dickner. Temps zéro.

On a ouvert la porte de mon appartement.

Mon réveille-matin indiquait 12:25.

Je l'ai entendu enlever ses souliers, puis marcher lentement dans le corridor. Loïc s'est arrêté dans le cadre de la porte. Il tenait le livre contre sa poitrine. J'ai fermé le col de ma robe de chambre et me suis redressée dans le lit. Il a déposé l'imposante masse recouverte de cuir sur mes genoux. Trois lettres métalliques s'étaient perdues en chemin. Des petits ronds de colle rappelaient leur existence.

« es leurs de acadam »

J'ai passé mon index plusieurs fois sur les ronds de colle, comme si les lettres pouvaient réapparaître. On les avait arrachées et enterrées au chalet, le soir où on avait rempli la dernière page du livre. Le *L*, le *F* et le *M*. Les trois premières lettres de nos noms concordaient avec le surnom que le directeur de l'école nous avait donné.

Loïc a tourné les pages jusqu'à la dernière, qui était divisée en trois colonnes dans lesquelles tenait une description de chacun de nous. Frédérique Loiselle fera le tour du monde ; Loïc Vallières aura une école de voile ; Maeve Labrecque aura une maison avec des volets rouges. J'avais un vague souvenir de cette soirée, et de nos bouteilles de bière, alignées sur la table du chalet.

Le chalet. Ma tante nous le prêtait, quelques fins de semaine par année. Toujours les mêmes rituels. Fred et moi nous réveillions à l'aube pour préparer du café. Il y avait bien une cafetière à l'intérieur, mais nous nous donnions la peine de faire bouillir de l'eau sur le feu pour la machine italienne. Dès qu'il y en avait trois tasses pleines, nous réveillions Loïc. Il sortait du chalet, les cheveux ébouriffés, puis il se traînait les pieds jusqu'à la chaloupe. Interdiction de prendre une gorgée avant d'être arrivés au milieu du lac. Nous portions un toast, puis nous dégustions en même temps notre première gorgée. Quand l'appétit se manifestait, Loïc nous ramenait.

Des souvenirs de notre dernière fin de semaine au chalet me revenaient tranquillement. La noirceur était tombée, Loïc remettait du bois dans le feu. Fred et moi étions assises sur une couverture de laine. Elle m'avait tendu un joint. Loïc avait avancé sa voiture sur le terrain pour écouter sa cassette de Nirvana. Fred s'était levée, avait fait glisser ses culottes de jogging jusqu'au sol et m'avait fait signe de la rejoindre. Je lui avais souri quand elle m'avait lancé sa camisole au visage. Loïc était venu s'asseoir à côté de moi pour regarder Fred marcher jusqu'au lac et entrer dans l'eau sans la moindre hésitation.

— On a fini le livre, Loïc.

— Ouais. On a fini le livre.

— On en commence un autre ?

— Non.

Il m'avait répondu sans hésiter. Il y avait quelque chose de blessant dans ce non catégorique. Fred était sortie de l'eau. La lueur du feu découpait sa silhouette et faisait reluire les gouttes d'eau qui glissaient entre ses seins. Elle épongeait ses cheveux au-dessus du feu. Elle avait remis ses pantalons de jogging et sa camisole blanche, en dessous de laquelle on pouvait très bien voir ses aréoles.

— J'ai creusé un trou, avait finalement osé Loïc.

— Pour nous enterrer vivantes ? avait répondu Fred en s'ouvrant une énième canette de bière.

— Pas pour enterrer le livre, j'espère ?

Loïc m'avait passé une main dans les cheveux.

— On peut pas enterrer le livre… Crisse, Loïc, on peut pas enterrer le livre.

— On en enterre juste une partie, avait proposé Fred.

Loïc s'était levé pour aller chercher le livre dans la voiture. Fred le lui avait pris d'entre les mains. Elle avait caressé la page couverture.

— On arrache la première lettre de chaque mot. C'est aussi la première lettre de nos prénoms. On les enterre dans le trou.

— Pis le livre? Qu'est-ce qu'on en fait? avait demandé Loïc.

— C'est toi, le gardien du livre. Jusqu'à ce qu'on soit prêts à s'en débarrasser.

— Okay.

Fred avait arraché les trois lettres métalliques, puis elle les avait laissées tomber au fond du trou. Nous avions regardé Loïc le remplir avec la pelle. S'en était suivi un dernier bain de minuit, après lequel nous nous étions tous les trois endormis autour du feu, dans nos couvertures de laine. Étrangement, je me souvenais d'avoir très bien dormi cette nuit-là. Un sommeil paisible, réparateur.

J'ai refermé le livre, puis je l'ai déposé sur ma table de chevet.

— Reste donc, s'il te plaît. Juste le temps que je m'endorme.

Loïc s'est levé, puis il est sorti. J'ai retiré mes vêtements et je me suis faufilée sous les couvertures. Il est revenu dans la chambre avec un verre d'eau, qu'il a déposé sur la table de chevet avant d'éteindre la lumière. La tête sur l'oreiller, nous nous sommes regardés longuement, sans un mot. Même dans le noir, je reconnaissais les traits de son visage. Je l'examinais comme pour la dernière fois. J'ai senti ses doigts frôler mon ventre.

— Touche-toi, Maeve.

Je l'ai invité à faire de même. Chacun de notre côté du lit, en solitaire, nous nous sommes procuré un plaisir mutuel pour une dernière fois. La présence de l'autre nous suffisait. Après quoi nous nous sommes endormis, nos corps séparés par une ligne imaginaire.

Chapitre 18

Loïc n'était plus là. Shadow dormait sur son oreiller. J'ai enfilé ma robe de chambre et je me suis rendue dans la cuisine pour faire couler cet espresso bien serré que Loïc allait, comme toujours, avoir préparé pour moi.

Rien. Pas d'espresso. Pas de tasse orange qui aurait dû traîner dans le fond de l'évier.

Loïc était parti.

J'ai prononcé quelques fois ces mots à voix haute en marchant jusqu'à la salle de bain pour voir s'il avait laissé quelque chose. Dans le coin du miroir, quatre carrés de papier collant. Il était parti avec une photo de nous deux. Je me suis demandé ce qu'il allait en faire. La coincer entre les pages d'un livre ? La déchirer en mille confettis ?

Loïc était parti et il y avait ce vide en dedans. Mais il y avait aussi l'espace. Surtout l'espace. Cette nuit, il m'avait rendu une partie de moi que je sentais se déployer. Je redécouvrais un espace duquel j'avais été privé durant plus de vingt ans.

Le livre était encore sur ma table de chevet. J'ai ouvert toutes les fenêtres de l'appartement et me suis assise sur le bord de la fenêtre de ma chambre.

Il était parti en même temps que l'été. En bas, les rues grouillaient de gens pour qui la vie n'avait pas changé. Pour qui cette dernière nuit avait été ordinaire. La propriétaire d'une boutique d'artisanat réchauffait les passants avec une chanson du *Fabuleux destin d'Amélie Poulin* pendant que le vent faisait rouler les feuilles qui étaient tombées prématurément. Sur le trottoir en face du café, les dernières tomates cerises qui restaient dans les boîtes à fleurs s'étaient décrochées de leurs tiges et gisaient sur le sol, piétinées.

Après une courte douche, j'ai enfilé des vieux vêtements et quitté la maison, direction la quincaillerie.

En entrant, je me suis dirigée vers le rayon de la peinture. J'ai glissé dans ma poche quelques échantillons de rouges en pensant à cette maison que j'avais dessinée dans les marges de mes cahiers pendant tout le secondaire. J'ai choisi un demi-litre de blanc cassé, un rouleau et un pinceau et j'ai regagné mon appartement en marchant sur toutes les lignes de trottoir : trois cent quarante-quatre.

Assise sur mon lit, j'ai regardé une dernière fois le mur de ma chambre tapissé de photos, d'affiches et de souvenirs. Je les ai décrochés un à un avant de les placer dans une boîte que j'ai rangée au fond du garde-robe. Une fois tout le matériel de peinture installé sur le plancher et The Fray dans le lecteur CD, j'ai recouvert de peinture blanche vingt ans de ma vie. Qu'allais-je faire de tout ce vide ? Pendant toutes ces années, j'avais accordé plus d'importance au *nous* qu'à nos deux êtres pris séparément. J'ai attrapé un pot d'acrylique noir puis j'en ai fait couler une grosse pastille dans une assiette d'aluminium. Le plus au centre du mur possible, j'ai écrit en lettres attachées :

Va déposer les armes au fond des bois.
— Salomé Leclerc

J'ai laissé traîner tout le matériel sur le plancher de ma chambre et suis sortie sur le balcon pour voir si Anne était là. Personne. Je me suis habillée en vitesse et je suis sortie jogger, The Strokes trop fort entre les deux oreilles.

Chapitre 19

Fred est entrée sans cogner.

— Amène-toi ! On descend à la poissonnerie déni-cher les meilleures crevettes au monde pour la paella.

J'ai enfilé mes Converse et je l'ai suivie.

— Il t'a rendu ta clé ?

— Pas besoin.

— Maeve…

— Quoi ? Il viendra plus, j'te dis.

— Je lui donne deux jours.

— Il est parti dans la nuit de mardi à mercredi.

— Parti où ?

— Parti.

— Avec le livre ?

— Sans le livre.

Elle m'a prise dans ses bras.

— Ostie que t'es maigre, Fred.

Elle a déposé un minuscule baiser sur le bout de mes lèvres.

Je ne sais pas ce que Fred a dit ou fait, mais on nous a servies avant tout le monde. On est rentrées à la maison deux minutes plus tard, les bras chargés de fruits de mer et de produits fins. Pendant que Fred s'installait dans la cuisine pour préparer le repas, je suis montée d'un étage pour tendre l'oreille contre la porte de Murielle. Elle a ouvert au même moment.

— Vous m'espionnez?

— Oui.

— Vous, au moins, vous n'empestez pas la cigarette.

Elle a sorti une bombonne de Airwick pour en vaporiser dans la cage d'escalier.

— Dites à votre ami d'arrêter de fumer s'il veut continuer à me surveiller. Vous pensez tous que je suis folle. Ma tête en a perdu un peu, mais mon nez, lui, se porte encore très bien.

— Loïc vous laissera tranquille.

— Il vient juste de passer! Sentez!

Il y avait effectivement une odeur de cigarette. J'ai entendu du bruit sur le palier d'en haut: en relevant la tête, j'ai aperçu le bout de ses souliers.

— Loïc fera un effort pour ne plus fumer ici. Je le lui demanderai.

— Bien, merci. Vous n'entrez pas?

— Pas aujourd'hui. J'attends de la visite ce soir. Fred m'attend pour cuisiner. Je reviendrai vous voir demain.

— À demain, alors.

Elle a refermé la porte. Je suis restée plantée là une ou deux minutes. La tête appuyée contre le mur, j'ai attendu. Attendu d'avoir la force de rentrer chez moi sans gravir les quelques marches qui me séparaient de lui. J'ai regardé le bout de ses souliers, ses jeans effilochés, puis je suis redescendue.

Fred avait laissé les sacs dans l'entrée. J'ai tout rangé dans le réfrigérateur et je l'ai rejointe dans ma chambre. Elle était à genoux devant mon nouveau mur.

— Tu pleures ?

Je me suis assise à ses côtés, longtemps, jusqu'à ce qu'on frappe à la porte.

— C'est lui, tu penses ? m'a-t-elle demandé.

— Loïc ne cogne jamais.

Je me suis levée pour aller ouvrir. Anne était encore plus petite que dans mon souvenir.

— Entre.

— Ton plant de verveine se meurt.

— Ouais, mon jardinier est parti.

Elle m'a regardée avec incompréhension.

— T'arrives à temps pour l'apéro, a lancé Fred en passant dans le corridor.

Anne a regardé sa montre : 13 h 20.

— Fred, Anne, Anne, Fred.

Fred est repassée dans le corridor avec trois flûtes et une bouteille de champagne. Elle avait encore le visage bouffi.

— Hé, c'est pas la super bouteille que tes parents m'ont offerte pour ma fête, ça ?

— Ouais.

Elle a fait poper la bouteille à travers le fouillis de pinceaux et de draps. Je chassais nos vieux fantômes aussitôt qu'ils apparaissaient ; j'ouvrais les fenêtres, je les repoussais, je les aspergeais de Febreze.

— Qu'on me laisse tranquille maintenant, qu'on me crisse la paix.

Chapitre 20

La paella parfumait tout l'appartement. À l'étage du haut, un vacarme de chaudrons nous laissait croire que Murielle commençait elle aussi à préparer le souper. Je m'étais toujours demandé ce qu'elle savait exactement, ce qu'elle comprenait de ma relation avec Loïc. Elle m'avait un jour dit : « Il y a des amours qui blessent, d'autres qui réparent. » Il fallait choisir.

Loïc était un de ces amours qui blessent. Je l'avais senti dès notre premier contact.

J'avais six ans à l'époque. Tous mes après-midi d'été étaient consacrés à de longues promenades dans le boisé derrière chez nous. La forêt était si dense que j'avais à peine besoin de m'éloigner pour que ma maison dispa-raisse. En faisant mine de regarder ailleurs, je longeais cet espace que le garçon des voisins avait aménagé à sa guise. Je marchais dans les environs en m'arrêtant pour arracher des morceaux d'écorce, des racines, du lichen. Il me regardait. J'avais besoin qu'il me regarde.

Un matin, je m'étais levée à l'aube pour aller voir de plus près. Dans le fond de sa cabane, il y avait deux pots : le premier contenait des plumes d'oiseaux, l'autre, des cailloux. Il avait creusé un petit foyer, qu'il avait encerclé avec des pierres blanchâtres et rempli de brindilles. Puis, sur un arbre qui se tenait droit au milieu de son royaume, il avait gravé les lettres *L-O-Ï-C*. Tout de suite, j'avais été hypnotisée par les deux petits points sur le *i*. Je m'en étais approchée, puis, lentement, j'avais passé mes doigts sur la gravure, comme pour mieux lire. C'était nous. Nous étions les deux petits points, en suspens, en orbite. Seulement, celui de droite était un peu plus haut que l'autre.

— Qu'est-ce que tu fais là ?

Je m'étais enfuie en courant, sans me retourner. Loïc m'avait poursuivie. Au lieu de courir en direction de ma maison, je m'étais mise à courir dans l'autre sens. Je profitais de sa présence pour m'enfoncer plus loin dans la forêt, où j'avais toujours rêvé d'aller. Au bout d'un moment, je m'étais retournée pour voir s'il me suivait encore.

Personne.

Assise sur le sol humide, j'avais pleuré. Au moment où je m'étais résignée à affronter ma peur et à marcher seule jusqu'à chez moi, Loïc était sorti de derrière un arbre. Il m'avait tendu la main. J'avais hésité un bon moment avant de l'accepter, puis nous avions marché jusqu'au campement. Pendant qu'il improvisait une pommade à base de feuilles pour soulager les nombreuses égratignures sur mes jambes, je lui avais posé plusieurs questions auxquelles il n'avait pas répondu.

Quand je lui avais demandé si c'était nous, les deux points sur le *i*, il m'avait souri.

— Alors pourquoi il y en a un plus haut que l'autre ? C'est toi ? Ou moi ?

— On verra bien.

J'avais eu envie de me sauver à nouveau, mais j'étais restée debout, comme l'arbre, en plein milieu de son royaume.

— On met la nappe ou les napperons ? m'a demandé Fred en s'avançant dans le cadre de la porte.

— La nappe. Et beaucoup de chandelles.

La maison était grande. J'entendais le mobile qui dansait dans la salle de bain. J'ai fermé la fenêtre pour qu'il s'immobilise.

Couper les sources. Cesser d'alimenter le feu.

On frappait à la porte. Je me suis regardée une dernière fois dans le miroir avant de sortir. Kance était déjà agenouillée devant Shadow et Fred faisait le tour de Max en lui tripotant les biceps.

— Fred, Max, Max, Fred, Kance, Anne, Anne, Kance.

La petite s'est agrippée à mon cou. Elle s'était greyée de Ray-Ban rouges, qu'elle s'est empressée de me faire essayer. Après avoir relevé ma manche pour dégager mon poignet, elle m'a soufflé :

— Libellules, fleurs et minous.

J'envisageais sérieusement de me faire enlever ce tatouage. J'ai accepté les deux baisers de Max et lui ai offert une visite guidée de l'appartement. Il s'est arrêté devant mon nouveau mur.

— Qu'est-ce qu'il y avait en dessous de ça ?

J'ai fait mine de ne pas comprendre.

— Ça sent la peinture fraîche…

— C'était la liste de tous les gens que j'ai assassinés. J'étais arrivée au bout.

— *Nice.*

Kance est entrée dans la chambre en courant.

— Pourquoi t'as peinturé en blanc ? Pourquoi t'as pas mis de la couleur ? a-t-elle demandé en prenant une gorgée de son Shirley Temple.

J'ai imaginé mon mur repeint en noir complètement. J'allais argumenter quand Fred nous a ordonné de la rejoindre à la cuisine. Un tchin s'imposait.

Les soirées étaient déjà plus fraîches et le plancher, froid. J'ai placé les premières bûches de l'automne dans le foyer, qui s'est longuement entêté avant de coopérer. Je n'étais apparemment pas la seule à revendiquer quelques jours de vacances supplémentaires. Fred a servi la paella dans de grandes assiettes qu'elle a agrémentées de quelques brins de ciboulette. Elle s'intéressait à mes invités avec des questions plus indiscrètes les unes que les autres sans qu'aucune ne semble pourtant les rendre mal à l'aise. Je la regardais, assise au bout de la table : la reine de la soirée. Dans quelques jours, elle repartirait. Je ne m'étais jamais vraiment habituée à sa façon d'entrer et de ressortir de ma vie à l'improviste, mais j'avais compris depuis longtemps qu'elle n'y pouvait rien. Elle ne savait ni s'ancrer ni s'enraciner. Fred ne supportait pas qu'on lui impose la moindre balise, qu'on la restreigne de quelque façon que ce soit.

Loïc et moi l'avions compris dès notre tout premier contact, nos adolescences à peine entamées.

Cet après-midi-là, pendant que Loïc et moi nous épiions à travers les panneaux du local de retenue, Fred était entrée dans la salle nonchalamment, escortée par un professeur. Elle avait choisi un pupitre au fond de la salle et s'était installée face au mur. Quand le responsable lui avait remis un dictionnaire et une feuille pour recopier, elle lui avait adressé un sourire niais. Puis, dès qu'il avait eu le dos tourné, elle l'avait écrasé entre son pouce et son index. Elle avait mis son capuchon et s'était rabattue sur la définition de la politesse. Deux heures avaient passé sans qu'elle nous accorde la moindre attention. Quelques minutes avant que la cloche ne sonne enfin, elle s'était approchée de moi et avait gribouillé une consigne sur la paume de ma main : «Ce soir, 20 h, derrière l'école.» Elle était sortie du local par la porte de secours en allumant cette cigarette qu'elle avait passée sous son nez tout l'après-midi.

Fred s'était adressée à moi plutôt qu'à Loïc. Il m'en voudrait longtemps.

Si aucun autre jeune n'était parvenu à s'immiscer dans notre univers, cette jeune fille délibérément marginale et tout droit débarquée de la Rive-Sud de Montréal s'était littéralement fusionnée à nos êtres, à notre monde qui jusqu'ici ne savait graviter qu'autour des deux mêmes orbites.

Fébriles, Loïc et moi avions rejoint Fred derrière l'école à 20 h tapant. Assise au pied d'un arbre, elle s'était relevée pour nous tendre la main.

— Fred, avait-elle simplement lancé.

— Maeve.

— Comme la fille dans *Sinbad le marin*, m'avait-elle fait remarquer.

— Loïc.

— Je sais.

Elle avait sorti de sa veste de cuir un flacon de whisky, dont elle avait pris une longue gorgée. Loïc avait grimacé en sentant pour la première fois cet alcool brunâtre brûler les parois de sa bouche.

— T'as peur dans la forêt, Fred ? avait-il fini par lui demander, d'un air amusé.

— J'ai peur de rien, avait-elle menti.

Il s'était mis à marcher en direction de sa maison. Fred et moi l'avions suivi en nous séparant les dernières gorgées de courage. Chaque fois qu'elle trinquait, ses nombreux bracelets résonnaient dans la ruelle. On pouvait déjà entendre l'écho de nos éventuelles fêtes.

La nuit avait filé pendant que nous nous apprivoisions dans ce royaume dont il ne restait que quelques planches et un trou qui avait autrefois servi de foyer. Nous nous étions endormis au pied d'un arbre, davantage réchauffés par le whisky que par les bras de Loïc.

Quand les policiers nous avaient réveillés, à l'aube, Fred avait disparu. Ni Loïc ni moi n'avions parlé d'elle jusqu'au lundi suivant.

La petite a remarqué que Fred portait le même tatouage que moi.

— Toi aussi, t'as ça ? Qui l'a eu en premier ? Qui a copié sur qui ? Ça veut dire quoi ?

— Personne n'a copié sur personne. On l'a fait en même temps. Ça veut dire Libertinage, Fraternité et Monoparentalité, a enchaîné Fred.

Anne et Max ont pouffé dans leur coin.

— C'est quoi, ça, libertinage ?

Démerde-toi, Fred !

— Ça cogne à la porte. T'attends quelqu'un ?

— Non.

— Je vais ouvrir, a lancé Max.

J'ai imaginé que Loïc était derrière la porte avec un bouquet de fleurs, que Max s'avançait pour lui chuchoter quelque chose à l'oreille et qu'il tournait les talons pour ne jamais revenir. Loïc ne m'avait jamais offert de fleurs. Je suis revenue à mes esprits.

— Maeve, c'est Loïc à la porte.

J'ai pris une longue gorgée de vin.

— Il est arrivé quelque chose à Murielle.

Chapitre 21

— Probablement un anévrisme, m'a annoncé l'infirmier, exactement sur le même ton que s'il m'avait dit « il n'y a plus de lait dans le réfrigérateur ».

— Combien de temps elle devra rester ici ?

— Quelques jours. Vous êtes sa petite-fille ?

— Sa voisine.

— C'est une chance que votre ami soit passé par là, on l'a sauvée de justesse. Revenez la voir demain matin, elle a besoin de repos.

J'ai été incapable de choisir un album pour le chemin du retour. Quelle musique convient le mieux pour réfléchir à un être cher que la vie est passée à un cheveu de nous arracher ?

Fred et Anne nous attendaient dans la cuisine. Une tonne de vaisselle séchait sur le support et une montagne de biscuits trônait au centre de la table. Max a accepté sans broncher le verre de gin que Fred lui a versé. Dans ma chambre, Kancelle était étendue sous les couvertures qui la recouvraient presque entièrement. J'ai ouvert la fenêtre pour chasser l'odeur de peinture, et, voyant qu'elle ne dormait pas, je me suis étendue près d'elle.

— Ta couleur préférée ? a-t-elle soufflé entre deux bâillements.

— Le blond.

— Ton chiffre préféré ?

— Trois.

— Ta musique préférée ?

— Le silence.

J'ai déposé un baiser sur son front avant de rejoindre les autres au salon. Peu intéressées par notre plan de soirée d'octogénaires, Anne a prétendu devoir rejoindre un ami et Fred s'est infligé une migraine imaginaire.

— Merci pour la soirée, soyez sages au Turf !

Elles m'ont regardée comme deux gamines qui viennent de se faire prendre la main dans le sac et sont sorties de l'appartement sur la pointe des pieds. Une bouteille de vin dépassait du sac à main de Fred.

J'ai imaginé mon corps fondre, épouser la forme du divan. Pendant un moment, j'ai volé au-dessus de nous deux. Voilà qu'il y avait de nouveau un fantôme dans mon appartement. Max me parlait, mais je n'aurais su dire de quoi.

— Maeve, tu m'écoutes plus, hein ?

Je me suis blottie contre lui, et j'ai fermé les yeux.

— Non.

Je ne les ai rouverts qu'à l'aube. Le bois s'était entièrement consumé pendant la nuit, et l'air frais d'automne s'était infiltré par la fenêtre laissée à demi ouverte. J'ai somnolé encore quelques minutes, jusqu'à ce que mon radio-réveil crache *What We've Built* des Fifth Hour Hero.

Il était donc 8 h 02.

Max a levé un poing dans les airs en chantant «*we can live with a million friends but all alone yeah yeah yeahhhh!*»

— Il y a deux choses qui me font bander dans la vie : me réveiller avec une fille endormie entre les bras, et les Fifth Hour Hero, a-t-il murmuré.

Au même moment, Kancelle s'est levée pour aller éteindre la musique en protestant.

— Il y a une chose qui me fait débander dans la vie : penser que ma petite sœur est dans la chambre d'à côté.

J'ai redéposé ma tête sur son épaule en me retenant pour ne pas partir à la recherche de ladite érection.

— Quelle heure il est ?

— Ç'a de l'importance ?

— Non.

— Café ?

— Oui.

En faisant mousser du lait, j'ai pensé à Murielle. Allait-elle garder des séquelles de cet AVC ? Revenir vivre à la maison ?

J'ai choisi la tasse kaki, que j'affectionnais pour sa fissure à l'anse, et je l'ai remplie de café. Max était en train d'allumer le foyer. Il m'a souri en voyant le café que je venais de déposer sur la table du salon.

— Avoue que t'avais choisi depuis longtemps la tasse que t'allais me donner pour la première fois.

Avec mon visou habituel, le coussin que je lui ai lancé a fait tomber les partitions de piano, à l'autre bout de la pièce.

— Impressionnant…

— J'vais nourrir Mozart, je reviens tout de suite.

— Okay.

Je me suis arrêtée devant ma chambre et j'ai regardé un moment la petite depuis le cadre de porte. Ses yeux étaient braqués sur l'écran du iPhone. Elle s'est tournée vers moi pendant un quart de seconde, sans expression faciale particulière, puis s'est remise à son jeu.

— On a une esquisse de crise d'adolescence ici, ai-je chuchoté à Max avant d'attraper le trousseau de clés de Murielle.

— Tant mieux, plus vite ça commence, plus vite c'est fini.

En mettant le pied en dehors de l'appartement, j'ai respiré profondément : pas d'odeur de cigarette.

J'ai pris le temps de caresser Mozart, changé sa litière, rempli ses bols d'eau et de nourriture, puis lavé la vaisselle que Murielle n'avait pas eu le temps de terminer. Dans la salle de bain, la Vierge Marie prenait son rôle au sérieux.

— Si t'es capable de faire quelque chose, c'est maintenant, lui ai-je murmuré en déposant un linge sur sa tête.

J'ai retiré la débarbouillette et lui ai donné une petite tape d'encouragement sur l'épaule.

— C'est une blague.

J'ai rejoint mes invités qui n'avaient pas bougé d'un poil. Kance était complètement captivée par son jeu et Max était encore assis devant le foyer, obnubilé par un livre volé dans ma bibliothèque : *Les gens fidèles ne font pas les nouvelles*. J'ai offert un jus à la petite, qui m'a souri sans pour autant lever les yeux de son jeu. J'ai fermé la fenêtre et remonté la couverture sur elle, me méritant un frêle « merci ».

L'instant d'après, agenouillée devant le foyer, j'éclatais en sanglots. Des sanglots silencieux pour épargner la petite.

— J'ai besoin que Murielle revienne.

— Je sais, Maeve.

— T'étais où, coudonc ?

— …

— T'étais où les vingt-cinq dernières années ? Je t'ai attendu, moi.

— Moi aussi, je t'ai attendue, tsé.

Je lui ai souri.

— Allez-vous venir avec moi ?

— Voir Murielle ?

— Oui.

— Évidemment, j'ai très hâte de voir comment tu vas me présenter. Murielle, voici Max, mon... Le... Votre... Et Kancelle, sa... Ma...

— Niaiseux.

J'ai enfilé un coton ouaté et je suis sortie acheter des croissants.

Le temps avait tourné au gris, les fenêtres des commerçants étaient embuées et la nature avait gelé les dernières survivantes suspendues dans les jardinières. Ma rue, de même que ma vie, avait changé cette nuit.

La pâtisserie, elle, était la même. Lorsque je lui ai demandé deux chocolatines, deux croissants nature et deux croissants au fromage, M. Langlois m'a dévisagée. Loïc et moi avions toujours pris deux croissants nature, point final.

— Vous avez de la visite ?

— Ouais.

Il m'a regardée, intrigué, en roulant sa moustache remplie de farine entre son pouce et son index. J'ai englouti les retailles de gâteau qu'il m'a offertes, poussé la porte en bois et repris ma route en écoutant le tintement de la clochette.

Lorsque je suis entrée dans l'appartement, Max avait le combiné collé à l'oreille.

— On s'en vient.

La petite est sortie de la salle de bain, tout habillée, la brosse à dents coincée entre les lèvres. Ses yeux, ne sachant plus où se poser, alternaient entre ceux de Max et les miens, entre le chat et la cafetière. Je m'en suis voulu de les avoir invités.

Max a raccroché.

— J'ai acheté des croissants. Max ?

— C'était bien un AVC, et elle en a fait un deuxième pendant la nuit. On ferait mieux d'aller la voir.

J'ai attrapé son trousseau de clés et le lui ai lancé en serrant contre moi le sac de papier brun.

— Entends-tu ? Mon cœur craque.

Chapitre 22

L'infirmière nous a priés de la suivre. L'odeur de désin-
fectant, les murs blancs, les néons, le bruit des chariots
grinçants, je détestais tout des hôpitaux.

— Au bout du couloir, dernière porte à gauche.

Murielle semblait endormie, les mains croisées sur
le ventre, «comme une morte» nous a fait remarquer
la petite. Je me suis approchée la première. Elle a scruté
mon visage un moment avant de me reconnaître.

— Bonjour, jeune fille.

— J'ai amené de la visite.

— Des fumeurs? a-t-elle demandé, la voix ensom-
meillée et l'air espiègle.

— Je te présente Max, et Kance, sa petite sœur.

— Est-ce que j'ai encore un peu de rouge à lèvres,
Maeve?

C'était une femme fière, je lui ai menti.

— Vous savez pourquoi je suis ici, ce matin?

— Tu as fait un petit anévrisme, Murielle.

— Oui, c'est ce qu'on raconte. C'est à cause de la
fumée. C'est ce jeune homme, celui avec les boucles.

Il fume sur le seuil de ma porte et, oh, vous pouvez replacer le coussin sous mes reins?

Max l'a aidée à se redresser.

— Tout ça…

— Murielle, ça n'a rien à voir avec la fumée, l'ai-je interrompue.

— Loïc, c'est lui qui a appelé les ambulanciers, madame Levesque, a renchéri Max.

Elle l'a regardé, contrariée.

— Il passait dans le coin, et il vous a entendue tomber. Vous êtes tombée dans la salle de bain. Vous vous êtes fait mal?

Il passait dans le coin. Il passait dans le coin. Il passait dans le coin.

Elle n'a pas répondu. Ses yeux alternaient entre les miens et ceux de Max. Elle les a finalement posés sur Kance, qui avait activé la fonction «appareil photo» sur le iPhone et qui s'apprêtait à prendre un cliché. J'ai réalisé que je n'avais aucune photo de Murielle. Je lui ai remis un peu de rouge à lèvres, volé dans son sac à main.

Dans le cadre de la porte, Loïc.

— Tiens, salut, ai-je lancé.

— Salut. Je repasserai en fin de journée.

— Tu voudrais pas plutôt aller nous chercher des cafés? a lancé Max en sortant une poignée de monnaie de sa poche.

Loïc m'a regardée dans les yeux comme pour attendre mon approbation. Je lui ai souri. Il nous a tourné le dos sans prendre l'argent.

— Le garçon aux boucles… il n'a qu'une paire de jeans et un chandail bleu ?

— On dirait.

— Si je ne m'étais pas débarrassée des vêtements de Jacques, je les lui aurais offerts.

La petite a laissé échapper un rire.

— Me reste-t-il un peu de rouge à lèvres, Maeve ?

J'ai hoché la tête.

Une infirmière m'a fait signe de la suivre jusque dans le corridor. Loïc est arrivé au même moment, un plateau rempli de cafés.

— Bonjour. Je me suis occupée de Mme Levesque depuis son arrivée hier soir. Nous attendons toujours les résultats de l'analyse, mais il est fort probable qu'elle ait refait un AVC.

— On a été mis au courant, oui.

— Et, a-t-elle poursuivi, il est fort probable que ce ne sera pas le dernier.

— Okay.

— Nous avons profité de sa lucidité pour lui demander si elle désirait, s'il survenait un troisième anévrisme, être réanimée.

— Okay.

— Sa réponse a été claire. Pas d'acharnement.

— Okay.

Loïc a posé une main sur mon épaule. Je m'en suis dégagée.

— Les chances qu'elle refasse un anévrisme sont élevées ? lui a demandé Loïc.

— Il est trop tôt pour le savoir.

— Quand est-ce qu'elle pourra revenir à la maison ? ai-je risqué.

Elle a eu l'air embarrassée.

— Elle pourra revenir dans sa maison ?

— Il est trop tôt pour le savoir, madame. Elle devra passer une série de tests. Donnons-nous quelques jours, vous serez les premiers informés.

— Mais je suis là, vous savez. Je vis dans l'appartement en bas de chez elle et je travaille à la maison. Je peux m'en occuper. Et Loïc «passe souvent dans le coin», ai-je ajouté avec une pointe d'ironie que j'ai aussitôt regrettée.

— Vous serez informés sitôt le verdict tombé, nous a-t-elle répété avant de tourner les talons.

Dans le cadre de la porte, Loïc et moi avons observé Murielle, Max et la petite avant d'entrer. Loïc s'amusait à entortiller un fil de ses jeans autour de son doigt. Quand la petite s'est mise à le dessiner, tout le monde s'est efforcé de regarder ailleurs.

— Comment t'écris ton nom ?

— *L, O, I* tréma, *C.*

Je l'ai regardée tracer les deux points sur le *i*. Il me semblait qu'il y en avait un plus haut que l'autre. Sur le dessin, Loïc avec deux petits yeux noirs, très creux. Une dizaine de spirales blondes recouvraient sa tête et une mèche tombait devant son œil droit. La petite avait omis de lui dessiner une bouche. Elle a apposé sa signature au bas de la feuille avant de la lui offrir. À sa place, je l'aurais pliée pour la glisser dans mon porte-feuille. Loïc avait toujours été meilleur que moi avec les enfants : il tenait l'œuvre du bout des doigts pour éviter de la froisser.

L'infirmière est entrée dans la chambre et nous a tourné le dos. Apparemment, c'était l'heure de la sieste. Loïc a fait un signe de tête en notre direction avant de sortir. C'est à peine s'il avait regardé Murielle. *Qu'est-ce qui le rattache à elle ?* J'ai remonté la couverture sur ses épaules.

— Si tout se passe bien, elle pourra rentrer à la maison lundi matin, m'a expliqué l'infirmière en rajoutant de l'eau dans le pot à fleurs.

Je me suis penchée pour sentir l'immense bouquet sur sa table de chevet.

— Savez-vous qui les lui a offertes ?

— Un monsieur.

— Un monsieur ?

— Grand.

Elle a redéposé le vase sur la table, puis elle s'est excusée.

— J'ai beaucoup de boulot.

Chapitre 23

J'avais passé la nuit à chercher qui avait bien pu lui offrir le bouquet. Murielle n'avait pas d'enfant, plus de mari, certainement plus de parents. Quelques amies anglaises avec qui prendre le thé, un frère qui habitait à Londres et qui, selon ce qu'elle m'avait raconté, n'aurait pas levé le petit doigt pour elle. Un ami ? Jamais elle ne m'avait parlé d'une amitié quelconque avec un homme.

J'ai enveloppé Shadow dans mon coton ouaté et je suis montée.

L'appartement de Murielle m'a semblé immense. J'ai placé un trente-trois tours de Charles Aznavour sur le tourne-disque avant d'étendre quatre albums de photos sur la table du salon.

Dehors, l'orage a éclaté.

J'ai emprunté ses lunettes de lecture et je me suis mise à feuilleter les albums.

Quand il y a eu une panne d'électricité , vers 14 h, j'ai rassemblé les lampions qui trônaient dans chaque pièce, pour les allumer. Murielle avait classé et identifié chacune des photos avec grand soin, mais rien ne me laissait croire que l'homme en question se cachait entre ces pages gondolées.

Trois petits coups ont retenti sur la porte d'entrée. Max, une bouteille de blanc dans la main droite. Il m'a regardée d'un drôle d'air.

— Salut, Max.

— Salut, Maeve. C'est quoi, ces lunettes?

Sitôt que j'ai eu retiré ces superbes lunettes à la monture dorée, il m'a rejointe sur le tapis du salon. J'ai sorti deux petits verres à vin du vaisselier.

— Un certain monsieur lui a apporté des fleurs à l'hôpital. J'ai aucune idée qui ça peut être.

Max tournait les pages d'un album en sirotant son vin.

— Pourquoi tu lui demandes pas?

— Je sais pas, en fait. Murielle et moi, on a parlé pendant des heures et des heures. Si elle m'en a jamais parlé, c'est qu'elle voulait pas m'en parler.

Les sirènes, les pompiers, la foudre et ses sillons de lumière. L'orage n'en finissait plus de frapper. L'après-midi est passé, mine de rien, en même temps que la bouteille. Les lampions brûlaient depuis des heures sans pourtant avoir fondu.

— L'esprit de Dieu, Maeve.

— *Bullshit.*

— *Triple bullshit.*

Le reflet que le vin laissait sur ses lèvres m'invitait depuis un moment. J'ai refermé l'album et soufflé un à un les lampions. À la lueur des réverbères, j'ai retiré mon chandail, que j'ai laissé tomber à mes pieds. Ses doigts ont effleuré mes seins de longues minutes avant qu'il ne me prenne. Sur le tapis du salon, une valse maladroite et libératrice. Sur mon ventre, des gouttelettes de vin blanc renversées par mégarde, sa langue. Au milieu de notre guerre silencieuse, nous avons joui. Moi la première.

Max a sorti une cigarette de son paquet. J'ai enfilé ma culotte et gagné le patio en tournant nerveusement la roulette de son briquet, ce qui faisait apparaître et disparaître une toute petite flamme. La chaleur et l'humidité m'ont prise à la gorge. L'électricité n'était toujours pas revenue, la ruelle avait des airs de fin du monde. De la gouttière débordait un flot d'émotions qui passait à toute allure devant la fenêtre de ma maison, avant d'atterrir quelques étages plus bas. Nous nous sommes assis par terre, dans les quelques centimètres carrés qui étaient restés secs grâce au toit. Il a coincé cette cigarette postcoïtale entre mes lèvres.

L'orage a éclaté, encore.

J'ai senti un souffle sur mon cou, puis un doigt s'infiltrer derrière l'élastique de ma culotte. En expirant la fumée, je me suis concentrée sur son index qui se frayait un chemin à travers mon sexe encore humide.

À peine avais-je fini de jouir quand l'électricité est revenue. Reflétés par la porte-fenêtre, mon visage, mes cheveux humides collés le long de mes joues.

Me rappellant que je n'avais rien mangé de la journée, j'ai empoigné mon téléphone.

— Thaïzone, bonjour ?

— Yves ? C'est moi.

— Saluuuuut, Maeve.

— Tu me livres un truc réconfortant chez Murielle ? En haut de chez moi ?

— Ouais. T'as peur de l'orage, c'est ça ? T'es montée te cacher sous les jupons à Mémé ?

— Mémé est à l'hôpital.

— Oh. Excuse-moi. Une soupe tonkinoise alors ?

— Deux.

— Deux ?

Je me suis endormie sur le plancher du salon en attendant la livraison. C'est l'odeur de la coriandre, des oignons verts et du sésame qui m'a réveillée. Lorsque j'ai ouvert les yeux, Max était assis en indien sur le plancher.

J'ai prié pour que Loïc ne revienne jamais, et je me suis redressée péniblement pour m'attaquer à ma soupe.

Chapitre 24

J'avais insisté pour passer la nuit seule. À cette heure, d'habitude, j'entendais Murielle qui faisait les cent pas dans son appartement. À l'hôpital, elle devait se plaindre de la nourriture, de la température de son thé, de la forme des coussins.

J'ai dévoré quelques quartiers d'orange sur le balcon. Les gouttelettes atterrissaient sur le trottoir, deux étages plus bas.

Mon téléphone a sonné.

— Salut, Hugues !

— *Ready to rock ?*

— Ouais, quand même, je me suis bien reposée.

— Écoute, j'ai pas mal de boulot pour toi. Passe me voir au journal si ça t'intéresse.

— Là, là ? Tout de suite ?

— Ouais.

J'adorais et je détestais ce métier. Exactement pour les mêmes raisons, d'ailleurs. À quoi cela allait-il bien pouvoir me mener ? Avant de sortir, j'ai aimanté la photo de la maison aux volets rouges sur le frigo.

Dans le hall, toujours pas d'odeur de cigarette.

Un nuage de stress planait au-dessus de la salle. Les imprimantes, le téléphone, les discussions en surface entre les employés qui font la file pour un infect café Nespresso, le bruit qu'ils font en sapant la première gorgée de café brûlant, tout ça m'avait manqué.

Hugues a laissé son interlocuteur déblatérer pendant qu'il me filait une pile d'articles à corriger.

— J'ai besoin de tout ça pour vendredi midi, okay?

— Okay.

— Excuse-moi, il faut que je m'occupe de cette cliente.

— Ça va.

Il s'est réintroduit dans la conversation téléphonique tout naturellement en disant «hum hum», comme s'il n'avait jamais décroché.

J'ai poussé la porte du local, le classeur rempli d'articles sous le bras. De l'autre côté, silence total. Je me suis bouché une oreille pour voir si la falaise continuait de s'effriter.

Rien.

La Brûlerie St-Roch était bondée. Après avoir commandé un thé glacé à la serveuse – air bête, rastas, comme dans toute bonne brûlerie de quartier –, je suis montée au troisième étage. J'ai étalé le contenu de mon étui à crayons sur la table et j'ai plongé.

Une voix m'était familière. J'ai reconnu la chevelure lisse et soyeuse, les longs cheveux noirs qui recouvraient le dos comme un rideau de nuit. En face d'Adèle, une grande rousse aux yeux verts avec qui elle partageait le thé en feuilletant une revue.

— Regarde celle-là. Ce sera parfait, que ce soit une fille ou un garçon. Tu crois qu'il faudrait donner une couche de blanc d'abord ?

J'imaginais Loïc étendu auprès d'Adèle, caressant son ventre bronzé et encore plat, comme si ce geste pouvait faire accélérer la croissance. J'ai repensé au test de grossesse dans le panier de leur salle de bain. Adèle a sorti de son sac un paquet vert avec un ruban. C'était la grande rousse et non pas elle qui attendait un enfant. À voir l'intérêt avec lequel elle feuilletait le magazine de chambres de bébés, on savait que son tour viendrait.

Je me suis revue quatre ans plus tôt, dans la chambre stérile de la clinique d'avortement. Je m'étais fait avorter de Loïc sans le lui dire. Il l'avait découvert en tombant sur une feuille d'instructions postavortement.

J'étais restée figée au milieu de mon lit défait, qui flottait comme une île à travers les débris de ma chambre. Le contenu de ma bibliothèque était répandu sur le sol, une bouteille de vin avait éclaté sur la porte du garde-robe et tous mes vêtements étaient décrochés de leurs cintres. Lorsqu'il m'avait regardée avant de quitter ma chambre, du sang s'écoulait de sa tempe et son œil droit allait bientôt bleuir. Des gouttelettes rouges tenaient en suspens au bout de ses boucles blondes. Il avait ramassé *Les Fleurs de Macadam* dans ma bibliothèque, puis il était sorti.

La police avait débarqué une minute après son départ. J'avais dû expliquer la scène et convaincre l'agent que Loïc ne m'avait pas violentée. Il était reparti plus amoché que moi de toute façon.

Nous ne nous étions plus parlé pendant près de deux mois. Plus de nouvelles de lui, aucune. Je l'avais croisé quelques fois dans les corridors du cégep, mais il continuait son chemin sans même détourner le regard. J'avais eu vent de ses quelques aventures sans intérêt. Jusqu'à ce que je rentre chez moi un soir de tempête, et que je le retrouve assis sur mon lit, le dos appuyé contre le mur, avec ses écouteurs. Nous n'avions plus jamais reparlé de cet incident. Ce soir-là, nous avions pris conscience du danger que constituait une relation aussi fusionnelle que la nôtre.

Je continuais à épier la conversation d'Adèle et de son amie en dessinant nerveusement des points d'interrogation dans le coin de ma feuille. J'entendais des sons, des mots, mais je n'arrivais pas à les assembler. Les feuilles de menthe gisaient dans le fond de mon verre. Elles m'ont rappelé les arbres du chalet.

Mon téléphone a sonné. C'était l'hôpital.

Chapitre 25

Murielle était plongée dans un coma profond. Elle pouvait se réveiller, ou ne jamais se réveiller, dans quelques heures, ou quelques mois. L'infirmière a rappelé ses dernières volontés. Pas d'acharnement.

Elle nous a laissées seules.

Le bouquet de fleurs commençait à se faner sur la table de chevet. J'ai sorti la boîte de biscuits que j'avais volée dans son congélateur puis je l'ai déposée près de la théière.

— Je vais chercher de l'eau chaude, attends-moi.

J'ai échangé quelques pièces de 25 ¢ contre de l'eau dans un verre en styromousse et j'ai regagné la chambre pour faire infuser les perles de jasmin qui se sont ouvertes délicatement sous le jet brûlant.

Murielle avait un minuscule garde-robe pour entreposer ce que j'avais ramassé en vitesse avant de partir : deux chemises de nuit, une paire de pantoufles et une trousse de maquillage. À l'intérieur, un restant de rouge à lèvres, du fard à joues et une photo de son mari. J'ai humé mon thé avant de le servir.

— Tu vois, j'ai bien appris.

Je lui ai appliqué une mince couche de rouge à lèvres et un peu de fard à joues en pensant à ce que l'infirmière avait laissé entendre. Elle pouvait rester plongée dans le coma plusieurs semaines, mais je savais qu'elle ne résisterait pas. Murielle était fière, elle partirait sitôt qu'elle en aurait l'occasion.

Je me suis empiffrée de biscuits sablés en lui racontant ce qui se passait chez elle. Mozart s'ennuyait, un jeune homme avait lavé les fenêtres extérieures et le restaurant du coin avait engagé une nouvelle serveuse.

La nuit tombait tranquillement. Murielle respirait en apnée depuis l'heure du souper. Aux demi-heures, l'infirmière entrait dans la chambre en coup de vent, posait une main sur son épaule, notait quelques chiffres et repartait sans dire un mot.

Dans la quasi-noirceur de la chambre, j'ai souri à Murielle.

La porte s'est entrouverte.

— Entre, Loïc.

L'infirmière nous a offert chacun une couverture. Assise sous la fenêtre, je repensais à cette scène qui avait eu lieu dans la forêt, il y avait presque vingt ans. Les deux petits points sur le *i*. La tête de Loïc était plus haute que la mienne. Je me suis étiré le cou en passant ma main sous la couverture pour sentir le mur, la ligne imaginaire entre nous. Nos territoires étaient désormais délimités. Entre les deux, une force attractive et une boîte de biscuits.

Vers 5 h du matin, nous nous sommes fait réveiller par le va-et-vient des infirmières venues assister Murielle dans ses derniers soupirs. Nous nous sommes levés, péniblement, en secouant les centaines de miettes de biscuits sablés qui étaient restées accrochées aux mailles de nos couvertures.

Murielle était morte avec un sourire de Joconde. Elle était partie en se moquant de nous.

Chapitre 26

La pluie d'octobre faisait claquer les volets de mon appartement. Le vent avait renversé les bacs à fleurs et une eau jaunâtre débordait de la gouttière. J'étais en plein rush de révision au journal. J'avais hérité de tous les contrats d'une jeune femme en congé de maternité.

Les nouveaux voisins, un couple d'Asiatiques avec un bambin, étaient bruyants et une odeur étrange s'échappait par la fenêtre de leur cuisine. Une odeur de suie, de poil brûlé, qui expliquait pourquoi j'avais pris l'habitude de vérifier compulsivement si la porte de mon appartement était verrouillée avant de sortir.

Chaque fois que je passais devant le frigo, je m'arrêtais devant le signet commémoratif de Murielle. Les funérailles avaient été très intimes. J'avais passé tout mon temps à chercher qui pouvait être le mystérieux homme au bouquet de fleurs, en vain. Le dernier soir, Loïc était passé en coup de vent. Jeans, capuchon et cigarette. Max et Kance étaient arrivés avec une immense plante et une enveloppe qui protégeait un dessin.

La nièce de Murielle, qui vivait en Angleterre et dont elle m'avait souvent parlé, s'était chargée de vider son appartement. «Prenez ce que vous voulez», m'avait-elle soufflé avant de laisser entrer les déménageurs. J'étais repartie avec une boîte de carton remplie : moules à pâtisserie, ensemble de thés, disque de Charles Aznavour et porte-savon de la Vierge-Marie. Loïc avait pris Mozart chez lui, à ma grande surprise, mais le pauvre avait fait une infection urinaire à peine trois semaines plus tard. Il ne s'en était pas remis. Murielle avait été incinérée et enterrée auprès de son mari, dans Charlevoix. Je n'avais pas été invitée à la cérémonie de mise en terre, et je n'étais pas retournée voir sa tombe.

La nuit, souvent, il me semblait encore entendre Murielle faire les cent pas dans son appartement. Incapable de me rendormir, je gribouillais dans mon cahier. Rien d'important. Max et Kancelle dormaient souvent chez moi la fin de semaine. Le samedi, Max fabriquait une tente en couvertures où nous écoutions des films, tous les trois blottis dans l'odeur de pop-corn. Il m'arrivait de regarder par la fenêtre pour essayer de repérer Loïc dans la file au bar. Je négligeais mon plant de verveine, mais je finissais toujours par l'arroser au moment critique.

Depuis que Murielle était partie, je voyais moins l'intérêt de rester dans cet appartement. Chaque année, je me jurais que c'était le dernier hiver que je passais ici, mais jusqu'à présent, j'étais toujours restée pour Murielle. Plus rien ne me retenait à présent.

Quand Max m'avait invitée à emménager avec lui, j'avais souri bêtement avant de changer de sujet.

Le matin de la première neige avait été consacré à l'élaboration d'un plan pour le réveillon de Noël. D'ordinaire, Fred, Loïc et moi nous retrouvions durant la matinée. Le projet consistait à boire du café Baileys toute la journée en écoutant des VHS de Noël. Vers 17 h, nous enfilions des vêtements propres et nous prenions un taxi pour nous rendre chez les parents de Fred. Année après année, le même tableau. En tournant le coin de rue, l'immense maison apparaissait, ornée de centaines de lumières blanches. Pendant que Fred payait le chauffeur, Loïc m'embrassait, puisqu'une fois rendus à l'intérieur, il n'était plus question de nous toucher. Lise nous accueillait avec trois flûtes de champagne, une robe à paillettes et, la plupart du temps, un hoquet. Elle nous emprisonnait tous les trois entre ses bras en nous offrant ses «vœux les plus sincères, les enfants». Une fois nos manteaux déposés dans la chambre d'amis, nous rejoignions la grande famille au salon. Les neveux et les nièces se précipitaient sur Loïc pendant que Fred et moi nous empiffrions de saucisses roulées dans le bacon. Malgré tout le soin accordé à nos cheveux et nos vêtements, c'est toujours Loïc, dans toute sa nonchalance, qui avait le plus haut taux de popularité. La soirée se déroulait toujours exactement de la même façon, sans débordement. Un Noël de bonne famille. Aux petites heures, nous descendions tous les trois au sous-sol, où se trouvait la chambre de

Fred. Tous les trois blottis, nous nous endormions, la lueur du sapin artificiel éclairant nos tenues de soirées abandonnées au pied du lit.

Quand le premier rayon de soleil pénétrait dans la chambre, Loïc remontait au rez-de-chaussée pour aller chercher deux petites boîtes dans les poches de son manteau. Fred et moi recevions toujours exactement le même cadeau. Même format, même couleur, même emballage. Venait ensuite l'odeur de café, suivie des trois petits coups que Lise donnait contre la porte de la chambre. Pour éviter d'exposer son érection matinale, Loïc feignait le sommeil, puis il se relevait dès qu'elle avait déposé le plateau de café sur la table de chevet et refermé la porte derrière elle.

La perspective de vivre un premier Noël sans eux était étrange. Fred nous avait déjà annoncé qu'elle passerait Noël en Thaïlande. «J'passeNoëlenThaïlande», avait-elle laissé échapper en soufflant sur le vernis transparent que je venais d'appliquer sur ses ongles. «L'autre main», lui avais-je simplement répondu. Je n'avais pas trouvé le courage de la questionner à propos des projets de Loïc.

Max et Kance confectionnaient des cartons d'invitation sur la table de leur cuisine. Voyant qu'ils ne me regardaient pas, j'ai décroché une photo d'eux aimantée sur le réfrigérateur, que j'ai enfouie dans mon sac avant de sauter dans l'autobus.

Les voisins avaient encore fait cuire un chat, un enfant ou quelque chose de malodorant. En allant ouvrir les fenêtres, j'ai remarqué qu'il y avait un message sur le répondeur.

« Bonjour madame, vous êtes conviée au bureau du notaire Lacroix, 178, rue de Lotbinière, ce mercredi 20 décembre à 14 h. C'est au sujet du testament de Mme Murielle Levesque. »

Chapitre 27

J'avais passé les deux dernières nuits à me retourner dans mes draps, fébrile comme à la veille d'une tempête. Qu'est-ce que j'avais à voir là-dedans? Les quelques vieilleries dont j'avais hérité étaient bien suffisantes.

J'ai humé l'air en sortant de chez moi. Pas de cigarette.

L'autobus m'a déposée devant le bureau du notaire, aussi fade que les sablés que Kancelle s'était mise à m'offrir à toutes les occasions. Deux colonnes en marbre retenaient l'édifice, à côté desquelles un sapin de Noël avait été décoré par principe. En montant les marches qui menaient à la réception, j'ai illico senti le danger: imprimées dans la mince couche de neige, les empreintes de Loïc. Seule la partie avant de sa semelle laissait des nervures, son talon étant complètement usé. Qu'est-ce que Loïc avait à voir là-dedans? Je commençais sérieusement à me demander où allait nous mener toute cette histoire.

Une bombe à retardement. Une tempête.

Dès que je suis entrée dans l'édifice, la secrétaire m'a lancé un sourire timide en s'assurant subtilement que j'essuie mes bottes dans l'entrée. Je l'ai écrasée entre mon pouce et mon index sitôt qu'elle a eu le dos tourné. Des rires ont jalli d'un bureau au fond de l'interminable corridor. Je m'y suis rendue sur la pointe des pieds, avec la sensation d'avancer dans un champ de mines. Le notaire a repris son air solennel sitôt qu'il a remarqué ma présence. À gauche, Loïc, les joues rouges et le capuchon détrempé. À droite, un homme d'un âge avancé. Il s'est levé pour me tendre une main rugueuse.

— Romain.

— Maeve.

Il a hoché la tête et replacé le col de sa chemise.

Son visage m'était familier. Rassurant et effrayant à la fois.

— Maeve, ai-je répété, comme la fille dans *Sinbad le Marin*.

Je venais de le perdre.

— Romain.

Je me doutais que ça n'avait pas changé en l'espace de quelques secondes. D'ailleurs, ce qui m'intéressait n'était pas son nom, mais bien de savoir ce qu'il faisait ici. Ce que nous faisions tous ici. Le notaire s'est levé pour fermer la porte, puis il a enchaîné.

Littéralement hypnotisée devant Loïc et Romain qui s'échangeaient des regards fuyants, je n'ai porté aucune attention aux formules judiciaires. Qu'avaient-ils à voir dans cette affaire ? À quel moment et pour quelles raisons allais-je intervenir dans leur histoire ? On aurait pu m'annoncer que je venais d'hériter de trois millions de dollars que je n'aurais pas bronché.

Le notaire a remis une lettre à Romain et une petite boîte à Loïc, pour finalement me tendre une enveloppe dorée que j'ai aussitôt glissée dans la poche de mon manteau. Délicatement, Loïc a sorti une petite boîte métallique : le porte-cigarettes du mari de Murielle, que j'avais remarqué sur plusieurs photos. Au bout d'un moment, de grosses larmes se sont mises à rouler sur les joues du vieillard. J'ai lu en diagonale et les dents serrées la lettre qu'il a fini par déposer sur mes genoux. L'écriture de Murielle, tremblotante, incertaine. Une liaison. Pendant toute l'année où elle était restée au chevet de son mari mourant, elle avait eu une liaison avec cet homme, visiblement marié, si l'on se fiait au jonc qui scintillait à son annulaire gauche.

Le bouquet de fleurs.

— C'est mon oncle. Le frère de mon père.

Voilà qui expliquait cet attachement mystérieux entre Loïc et Murielle, ces deux êtres que tout distinguait foncièrement. Ils étaient liés par défaut. Leur ressemblance était désormais flagrante : les mêmes petits yeux noirs, les mêmes boucles sur le bord des tempes. Ce regard rassurant et effrayant, ce magnétisme insupportable.

Murielle savait-elle que Loïc était le neveu de Romain ?

— Oui, a répondu Loïc avant même que je pose la question.

Un long frisson est monté le long de ma colonne. J'imaginais les gouttes d'eau que Loïc s'était maintes fois amusé à regarder descendre dans mon dos, sur mon lit d'adolescente. Elles refaisaient le chemin inverse. Qui était au courant de quoi ? Comment avais-je pu embarquer dans ce manège alimenté aux mensonges et à l'hypocrisie sans même m'en rendre compte ? Devais-je comprendre que, pendant toutes ces années, Loïc avait été le fantôme de Romain, de son amant ? Que chaque fois qu'elle avait croisé son regard, ses yeux noirs et creux, elle avait replongé dans les siens ? Cette relation amour-haine. Cette relation fantôme. J'ai signé un document sans prendre la peine de le lire, puis j'ai quitté le bureau, l'enveloppe dorée et encore cachetée dans la poche de mon manteau.

J'ai couru en direction de chez moi sans me préoccuper de la circulation. Au bout de quelques coins de rue, deux mains ont agrippé mes épaules. Je me suis élancée pour frapper de toutes mes forces. J'ai regardé la lèvre tremblotante de Loïc, les deux petites gouttes de sang qui ont glissé jusqu'à son cou. Il venait de craquer. J'ai repensé aux deux petits points sur le *i*.

— Ça t'aura pris vingt ans. Amour fantôme.

J'ai marché jusque chez moi en m'arrêtant pour vomir. Deux taches rougeâtres dans la neige blanche. Un *T*.

— *T* comme dans trahison.

J'ai rempli ma poche de neige pour y placer mon poignet qui commençait déjà à enfler. «Tu frappes comme une fille», avait-il un jour osé me dire.

En arrivant à la maison, j'ai avalé deux Advil et me suis fait couler un bain bouillant. Je me suis servi un verre de vodka, puis j'ai versé du bain moussant dans la baignoire. Exagérément. Anne a cogné à ma porte à peine dix minutes plus tard. À son tour, elle s'est pris un verre avant de me rejoindre sous la mousse. Je n'ai pas pu m'empêcher de sourire en regardant ses vêtements qui étaient restés en amas sur le sol. On aurait juré qu'elle avait fondu.

Je lui ai tout raconté. Murielle et Loïc m'avaient trahie, ils avaient joué sans moi. Ils s'étaient joués de moi. Je détestais Murielle en repensant à toutes ces fois où elle m'avait écoutée parler de Loïc, et où nous avions convenu, moi par mes promesses jamais tenues et elle par ses longs silences, qu'il fallait tourner la page une fois pour toutes. Qu'il fallait choisir entre ce que nous avions déjà été et ce que nous voulions devenir. Je détestais Loïc pour m'avoir exclue d'un secret dont il ne me trouvait pas digne, et, par-dessus tout, je détestais Fred d'être à l'autre bout du monde.

Nous avons passé le reste de la journée dans la baignoire, délaissant bientôt nos verres pour trinquer à même la bouteille de vodka.

Vers 18 h, Anne a commandé deux soupes. J'ai repensé à l'enveloppe dorée dans la poche de mon manteau. Ma colère contre Murielle, encore vive, m'empêchait de l'ouvrir. Je suis montée sur un tabouret pour attraper la boîte remplie des machins dont j'avais hérité, et j'ai sorti la statuette de la Vierge Marie.

— Tu viens, Anne ?

Elle m'a regardée, l'air intrigué, puis elle m'a suivie dans la cuisine. J'ai ouvert la fenêtre. Les rues étaient désertes. De toutes mes forces, j'ai lancé l'horrible statuette qui s'est fracassée en milliers de petits triangles sur le trottoir à peine enneigé. Au même moment, un jeune couple est sorti du restaurant du coin. Ils se sont tus. Je les ai regardés un moment, j'ai adressé un *finger* au ciel, puis j'ai refermé la fenêtre. Il me semblait avoir entendu les premières notes de *Over my Head* à l'arrière-plan. J'ai adressé un deuxième *finger* en direction de chez Loïc.

Quand la sonnette a retenti, Anne s'est empressée d'aller ouvrir.

Après de sobres présentations et de timides échanges, Yves s'est installé à une extrémité du divan pour rouler un joint post-quart de travail. J'ai dévoré ma soupe en m'efforçant de ne pas remarquer l'évidente complicité entre mes deux invités. Dès que j'ai eu terminé, j'ai enroulé Shadow dans ma robe de chambre et je suis allée m'asseoir sur mon lit, verre dans une main et enveloppe dans l'autre. J'ai déchiré le coin pour extirper lentement une feuille de papier jaunie, pliée sur le sens de la largeur.

La recette de biscuits sablés.

Elle provenait directement de son recueil de recettes. Murielle n'avait même pas pris le soin de découper le bord du papier frisotté à cause de la reliure spirale. Des taches de toutes les formes et de toutes les couleurs décoraient la recette, écrite à la main des années plus tôt. J'ai regardé dans l'enveloppe s'il y avait autre chose, un indice, le premier d'une longue chasse au trésor, peut-être. À vrai dire, je cherchais une explication, une excuse. Je n'avais pas été digne du secret de Murielle et je m'en voulais. Qu'avais-je bien pu faire ou ne pas faire pour qu'elle veuille m'en tenir à l'écart ? J'ai sorti mon cahier puis j'ai gribouillé. Quelques points d'interrogation, comme d'habitude. Je suis revenue à la page sur laquelle j'avais dessiné des centaines de flèches avec les noms de Max et de Loïc aux extrémités. J'ai écrit le mien tout juste en dessous de celui de Max. Lentement, j'ai ajouté le nom de la petite.

La porte de mon appartement s'est refermée.

— Anne ? Yves ?

Ils étaient sortis.

Chapitre 28

Une chorale d'enfants s'époumonait sous ma fenêtre. Leurs voix nasillardes m'énervaient profondément, mais c'était Noël et à Noël on est de bonne humeur. Kancelle devait être insupportable ce matin. Les trois derniers jours, elle s'était nourrie exclusivement de biscuits Pillsbury et elle chantonnait en réponse à tout ce qu'on avançait. Je ne répondais plus de mes actes si on ne m'accordait pas une pause d'une nuit avant le réveillon : la veille, j'avais fait semblant de devoir terminer un contrat de dernière minute pour revenir dormir à la maison. Puisque depuis la mort de Murielle plus personne ne se préoccupait de mon alimentation, j'ai englouti un beigne de Noël en guise de déjeuner.

Combien de fois, le 24 décembre à cette heure, Loïc, Fred et moi nous étions-nous entassés sur le divan du salon devant une pile de VHS à écouter ? *S'il m'écrit aujourd'hui, je le tue. S'il ne m'écrit pas aujourd'hui, je le tue aussi.*

Mon téléphone a sonné. C'était Fred.

— Joyeux Noël, Fred.

— Joyeux Noël! T'as des projets pour la journée?

J'ai fourré la dernière bouchée de mon beigne dans ma bouche avant de lui répondre.

— Ouais, on cuisine chez Max. J'vais faire des saucisses dans le bacon. Tu viens?

— J'suis en Thaïlande, nouille.

— Y a pas ça là-bas, hein?

— Peut-être. Je voulais juste te dire que je t'ai posté un truc… ça doit être arrivé. Faut déjà que je te laisse. J'ai rencontré quelqu'un ici, on passe la journée avec des amis.

— Quelqu'un ou quelqu'une?

— Je sais pas. Je sais pas encore.

— Câlisse, Fred!

— Joyeux Noël, petite, je t'embrasse.

— Je t'embrasse aussi.

— Maeve?

— Non, Fred, il m'a pas appelée.

— Tant pis.

Je n'ai pas eu le courage de lui demander si elle avait eu de ses nouvelles.

— Tant mieux.

Elle a raccroché. Ou alors c'est moi qui ai raccroché.

J'ai noué ma robe de chambre et enfilé mes bottes d'hiver, et je suis sortie en priant pour ne pas glisser sur une plaque de glace.

À travers la dizaine de factures et de dépliants promotionnels qui remplissaient mon casier, une longue enveloppe matelassée. Je suis rentrée en marchant aussi prudemment qu'à l'aller et me suis agenouillée sous le sapin artificiel qui clignotait tristement dans le coin du salon. Après avoir déchiré l'enveloppe grossièrement, j'ai recueilli un cahier. Un Picasso, le même qui avait été affiché dans la chambre de Loïc pendant tout notre secondaire, était imprimé sur la couverture. Sur la première page, Fred avait écrit de son horrible calligraphie : « À remplir de réponses plutôt que de questions. »

Derrière la fenêtre, les flocons passaient de gauche à droite, puis de droite à gauche sitôt que le vent faisait demi-tour. *Comme au jeu du chat et de la souris. Qui est le chat ? Qui est la souris ? Des réponses maintenant, des réponses.*

GAME OVER.

Une heure de contemplation et quelques cigarettes plus tard, j'étais parvenue à entamer mon cahier en lui infligeant deux mots. La fatalité tenait en huit lettres. Le jeu était terminé et c'était match nul, on pouvait passer au tableau suivant.

J'ai trié la pile de courrier sans pitié. Une fois les circulaires et les vœux des commerçants balancés au recyclage, il ne restait que la traditionnelle carte de ma tante Simone.

Le téléphone a de nouveau sonné. Puisque j'avais déjà reçu l'appel de Fred, rien ne me motivait à répondre, même le matin de Noël. Loïc ne m'appellerait pas, conscient que son silence serait le plus cruel des signaux. Ma mère me laisserait un message, de sa voix faible et endormie, que je réécouterais quelques fois avant de retourner son appel. Et si c'était Anne? Ma culpabilité s'est envolée d'un coup quand j'ai entendu le vandalisme que la petite pratiquait sur mon répondeur. Elle m'implorait de les rejoindre, traduction anglaise et solo de flûte inclus. Après avoir fourré une tonne de vêtements dans mon sac, j'ai coincé la carte de Simone et la recette de biscuits sablés dans mon cahier et je suis sortie pour me rendre à l'arrêt d'autobus.

Max m'attendait devant l'entrée de l'appartement, le capuchon parsemé de flocons. « Joyeux Noël », a-t-il soufflé. L'instant d'après, je balançais mon sac dans le coffre de la Golf et prenais place sur le siège du conducteur.

— Attends, j'ai oublié un truc.

J'ai gravi les marches deux par deux pour les dévaler une minute plus tard, une couverture de laine entre les bras.

Shadow a cessé de trembler dès qu'elle a entendu Angus and Julia Stone.

Chapitre 29

Un sapin de Noël multicolore scintillait devant leur maison. On aurait juré qu'ils avaient lancé les jeux de lumières les yeux fermés, et que le vent les avait à peu près fait tenir : les lumières ne se rendaient pas jusqu'en haut et la moitié d'entre elles étaient brûlées.

— Beau sapin !

— C'est le résultat d'un complot entre Jack et Kance. Tout ce qu'ils touchent tourne à la catastrophe. J'aurais dû m'en douter.

J'ai repensé aux centaines de lumières blanches parfaitement alignées qui décoraient la cour chez les parents de Fred, et à Fred elle-même, à ces robes de soirée qu'elle n'acceptait d'enfiler qu'une fois par année. À travers la fenêtre du salon, j'ai reconnu quelques silhouettes.

À l'intérieur, les effluves de pâtisseries mélangés à ceux des petites bouchées relevaient du divin. Hubert, Jack et Kancelle décoraient des biscuits Pillsbury, probablement de manière obscène, à en juger par la vitesse à laquelle ils les ont rangés quand ils nous ont aperçus.

Amélie, elle, suivait méticuleusement les consignes de Josée Di Stasio pour réussir la parfaite recette de sangria. Une montagne de cadeaux débordait d'en dessous de l'arbre – celui-ci était beaucoup mieux réussi – et j'en déduisais, d'après leurs emballages enfantins, que la plupart étaient destinés à la petite. Shadow s'est sauvagement fait attaquer par la panthère dès que je l'ai posée au sol. Une fois mon sac rangé dans la chambre de Max, j'ai enfilé mon pyjama et je les ai rejoints dans la cuisine.

Max avait passé l'après-midi à remplir mon verre de scotch pour me motiver à décorer les derniers biscuits que Kance avait abandonnés sur le plateau: le blues de Noël est arrivé aussi brusquement qu'était tombée la première neige. Fred et Loïc allaient-ils se parler de vive voix aujourd'hui? S'étaient-ils envoyé des colis dont je n'aurais jamais connaissance? Les réveils au lendemain de Noël, nos trois corps blottis les uns contre les autres, nos respirations qui finissaient par se synchroniser: nos rituels étaient terminés. J'ai repassé les nombreuses nuits où j'avais feint le sommeil pour épier Loïc et Fred qui faisaient l'amour en silence, à quelques pieds de moi, et où je m'étais rendormie, aussi satisfaite et rassasiée qu'eux.

Je me suis servi un autre verre.

Au beau milieu de l'après-midi, Max m'a priée de le rejoindre dans le bureau. Quoi de mieux que de rencontrer pour la première fois ses beaux-parents sur Skype, en pyjama, un verre de scotch à la main et dix pieds de guirlandes de Noël autour du cou?

— L'avantage avec Skype, c'est que tu tires la *plug* aussitôt que t'es tannée. Ma mère pense toujours que c'est sa connexion qui fonctionne mal, a-t-il chuchoté.

Enfermés dans un carré au coin de l'écran, un petit bout de femme énergique et un homme timide. J'ai agité la main en leur direction. Sa mère m'a appelée par mon prénom, puis elle a formulé quelques souhaits chaleureux pour Max et moi, pendant que son père hochait la tête en signe d'approbation. *Vous*, ce mot avait enfin un visage. Trois visages, même. Jack est entré dans la pièce au moment où je ne savais plus quoi dire pour alimenter la conversation. Après les «Joyeux Noël! Amour! Santé! La température est agréable ici! Non non, on n'abuse pas des bonnes choses! Oui oui, on va prier un peu tantôt!» nous étions restés là comme des inconnus à nous regarder en espérant perdre la connexion. Je leur ai souhaité un joyeux Noël une dernière fois, et je suis retournée à la cuisine en les laissant avec Jack, qui les faisait déjà ricaner, plus loin sur le continent.

Kance avait perdu tout son entrain. Assise sur le divan du salon, elle feuilletait une bande dessinée.

J'ai passé mes doigts sur les plis de son front pour les atténuer.

La bande dessinée lui avait été offerte par sa mère, trois années plus tôt. À sa place, j'aurais voulu qu'on me foute la paix.

— As-tu ça de la levure chimique, toi?

Ses yeux se sont illuminés.

— On prépare une bombe ?

— Mieux que ça !

Je lui ai tendu ma main ouverte pour qu'elle y dépose la sienne et je l'ai entraînée dans la chambre de Max, où mes bagages étaient rangés. J'ai sorti tout ce qu'il y avait dans mon sac pour attraper mon nouveau cahier et lui ai tendu l'enveloppe dorée.

Chapitre 30

La maison était déjà bondée. Des filles s'arrangeaient devant chaque miroir – l'odeur du fixatif avait pris le dessus sur celle des sablés –, une cinquantaine de souliers et de bottes étaient amoncelés sur le tapis de l'entrée et les chats léchaient sans retenue le calcaire dont il était imbibé. Bob Walsh chantait Noël dans toute sa mélancolie, sans toutefois parvenir à enterrer la petite qui donnait un concert de flûte Yamaha sur la scène aménagée près du sapin.

Je me débattais devant le miroir de la chambre pour attacher cette tenue que ma mère m'avait achetée au cégep. Une robe noire, mi-longue. Je détestais mettre un vêtement pour la première fois. Au secondaire, j'héritais de tout ce que Fred ne voulait plus. Je préférais ce qui était usé, ce qui avait une histoire. Je levais le nez sur les vêtements neufs, le premier jour de vacances et les pages blanches. J'ai pris une gorgée de vin et j'ai soufflé dans le miroir. J'allais tracer un point d'interrogation dans la buée quand je me suis rappelé la consigne de Fred. Je suis restée là à la regarder s'évaporer.

J'ai composé le numéro de téléphone de mes parents.

Le feu de foyer crépitait et mon père chantonnait *Alleluia* avec sa voix de baryton. Après m'avoir fait promettre que je passerais les voir avant le jour de l'An, ma mère m'a priée d'offrir ses vœux les plus sincères à Loïc, à Fred et à sa famille, et m'a mise en garde contre la consommation exagérée de saucisses dans le bacon. J'ai menti ouvertement, puis j'ai raccroché en lui souhaitant une dernière fois un très joyeux Noël.

Hubert est entré dans la chambre.

— T'es vraiment beau, Hub.

— Merci.

Il s'est regardé dans le miroir, puis il a attrapé des baguettes de *drum* neuves dans son sac. Dans le salon, Max a commencé à gratter sa guitare. Dès qu'Hubert les a rejoints, ils ont entamé *Last Nite* des Strokes. Un feu d'artifice.

En plein milieu de la distribution de cadeaux, je me suis enfermée dans la chambre de Max, complètement épuisée.

J'ai déposé sur le lit un paquet rouge. Les albums *Raconte-moi* de Stacey Kent, *Les chemins de verre* de Karkwa et *The Suburbs* d'Arcade Fire. Dehors, la neige tombait lentement. Une jeune famille rentrait de la messe en se lançant des boules de neige. Je les ai observés un moment avant de les écraser entre mon pouce et mon index, à commencer par ce jeune homme dont les boucles blondes dépassaient de la tuque. Max m'a fait sursauter. Il se tenait devant le lit, un énorme sac argenté entre les mains.

— Joyeux Noël !

J'ai sorti du sac un chandail en laine kaki et me suis laissée tomber sur le lit à travers les papiers. J'aurais aimé qu'il suffise de claquer des doigts pour que la fête se termine. Max a sorti du garde-robe une bouteille de rhum et deux petits verres à shooter en bois. En vrai mélomane, il a placé le disque de Karkwa *live* dans le lecteur CD avant de trinquer, à nous.

En entendant des voix dans la rue, j'ai fait signe à Max de venir me rejoindre près de la fenêtre.

— Tu vois les gens dehors ?

— Ouais.

— Place tes doigts comme moi.

— Okay.

— Là, tu les attrapes. Tu les fais *fiter* exactement entre ton pouce et ton index.

— Okay.

— Pis là…

— Pis là quoi ?

— Tu les écrases.

— Okay, pis après ?

— Tu recommences.

— T'écrases souvent des inconnus comme ça, Maeve ?

— Ouais. Deux ou trois bambins par jour.

Il m'a prise par la taille.

— Des fois, je les flatte aussi. Regarde. Tu les fais tenir dans ta main comme ça. Essaie. T'as juste à leur caresser la tête.

Kance est entrée dans la chambre avec les deux chats.

— Oh, une réunion de famille !

— Famille, ai-je répété.

— Qu'est-ce que vous faites ?

— On flatte la tête des messieurs dans la rue.

J'ai sorti de mon sac une boîte tapissée de pères Noël et l'ai offerte à la petite, qui s'est lancée dessus comme une hyène affamée. Elle a pris le cahier en cuir noir, a choisi un crayon parmi l'ensemble Crayola que j'avais joint au cadeau, s'est empressée de gribouiller un message qu'elle nous a empêchés de lire et m'a plaqué un bec collant sur la joue. J'ai tout de suite deviné ce que contenait la boîte que Max venait de sortir du garde-robe. Une guitare acoustique. Après avoir embrassé Max de la tête aux pieds, la petite s'est glissée sous nos couvertures en grommelant un dernier merci. Dans le salon, on réclamait l'hôte de la soirée. Je me suis faufilée sous les draps sans prendre la peine de saluer tous les gens qui s'éclataient de l'autre côté, puis, assise entre la petite et le chat, j'ai ouvert la carte de Simone.

Depuis que j'étais partie de la maison, ma tante m'envoyait chaque année une carte dans laquelle elle avait glissé quelques bons mots et une aquarelle. J'ai pourtant déplié un papier quadrillé, noirci d'un bout à l'autre. En amorce, mon prénom massacré. En conclusion, un gribouillis dont seule la première lettre, un *R*, était identifiable. Entre les deux, on remarquait la récurrence d'un nom. Fred était la seule personne qui n'aurait jamais dû être mêlée à cette histoire, et c'est elle qui me donnait le coup de grâce de cette lente trahison.

Romain et Murielle s'étaient rencontrés dans la vingtaine, à peine quelques semaines avant qu'elle n'épouse Jacques. Pendant ses quarante années de mariage, elle avait douté, autant d'elle-même que des deux hommes qui la hantaient. Romain était un de ces amours qui blessent, Jacques était de ceux qui réparent, lui avait-elle souvent répété. Même s'ils avaient tenté de mettre fin à leur liaison plusieurs fois, ils avaient passé leur vie à se retrouver. Elle avait fini par quitter l'enseignement pour s'installer en région, loin de lui, où elle avait acheté une boutique de thé. Entre-temps, Romain avait eu deux enfants avec une autre femme, mais ils avaient fini par reprendre contact. Quand Loïc était né, Murielle l'avait bercé. Puis, quand il était rentré de la forêt pour dîner, ce midi où une jeune fille s'était infiltrée dans son royaume, c'est une crème d'asperges fumante qu'il avait dévorée, sous le regard inquiet de Murielle. Elle avait été témoin de notre histoire depuis le premier jour. Loïc lui racontait tout dans les moindres détails. Sa propre ambivalence avait été le combat de toute sa vie, et elle ferait tout pour nous épargner, pour nous protéger de la force tranquille qui nous habitait.

Après la mort de son mari, elle avait vendu la maison et sauté sur l'appartement qui s'était libéré en haut du mien. Il n'avait suffi que de quelques semaines pour que nous nous liions d'amitié. La soirée où Loïc avait appris que je m'étais fait avorter de lui, et qu'une violente querelle en avait découlé, c'est Murielle qui avait appelé la police, et c'est chez elle qu'il s'était réfugié en claquant la porte de mon appartement. Quand Max était arrivé dans le décor, elle avait reproché à Loïc de m'aimer aussi maladroitement que Romain l'avait aimée. Elle s'en était d'abord lentement détaché, puis avait fini par le renier complètement.

Mis à part Loïc et Fred, qui avaient surpris les deux amants quelques années plus tôt, personne n'avait la moindre idée de ce qui existait entre eux. En voyant Loïc cet après-midi-là, Murielle n'avait pas pu s'empêcher de s'adresser à lui. Comment aurait-elle pu se douter que la jeune fille à ses côtés était Frédérique Loiselle, la jeune fille dont il lui avait tant parlé? Murielle leur avait fait promettre de ne rien dire, mais Fred avait été claire: elle n'avait jamais rien su et ne voulait d'aucune façon être mêlée à cette histoire. L'attitude de Fred à l'égard de Murielle, donc, qui m'avait toujours semblé de l'ordre du désintérêt, traduisait apparemment un profond inconfort.

Jacques, lui, était un homme sage et discret. Pendant ces années où Murielle avait flirté avec Romain, il avait passé de longues soirées à griller des cigarettes dans son atelier, amoureux et impuissant. Lorsqu'il avait appris qu'il luttait contre un cancer du poumon, Murielle avait sombré dans la culpabilité. La fumée serait désormais le symbole de tout ce qui lui avait échappé.

Je me revoyais, quatre jours plus tôt, le combiné du téléphone collé à l'oreille, racontant à Fred tout ce qui s'était passé depuis ma visite chez le notaire. Elle avait tenté de m'aider à comprendre les raisons qui avaient poussé Murielle à me cacher sa relation avec Romain, son lien étroit avec Loïc et nos parcours parallèles. D'une sagesse qui m'avait surprise, Fred m'avait encouragée à lui pardonner, à respecter son silence, peu importe les motifs.

On m'avait trahie. Non pas une fois, mais tous les jours depuis vingt ans. J'ai enfilé mon manteau et j'ai marché d'un pas engourdi jusqu'au sous-sol. Avant de pousser la porte enneigée qui menait à la cour arrière, j'ai allumé la première cigarette d'une longue série. Une fois de l'autre côté, j'ai laissé la neige me fouetter le visage. J'aurais voulu crier, frapper sur tous les murs de la maison, m'écorcher les mains sur des bancs de neige glacés, mais je suis restée là, immobile et gelée. Une main sur l'oreille, j'ai écouté la falaise, que j'ai laissée s'effriter jusqu'à la dernière poussière.

Quand j'ai regagné la chambre, les fantômes étaient réapparus et d'autres visages tournoyaient en haut du lit, au rythme de *Celebrate Good Times* qui jouait à tue-tête dans le salon. Murielle avec son peignoir beige, thé à la main, Loïc avec sa boucle blonde qui tombait devant son œil droit, Fred avec ses milliers de bijoux qui produisaient une petite musique dont je ne me lasserais jamais, Adèle qui reniflait un pyjama de bébé, Romain qui se cachait le visage pour pleurer en lisant la lettre de son amour perdu, Anne qui laissait tomber ses vêtements sur le plancher de la salle de bain pour venir me rejoindre sous la mousse, Max qui approchait son visage pour allumer sa cigarette à même la mienne, Kance qui brassait tous les ingrédients de la recette de biscuits sablés en arrêtant de temps à autre pour se lécher les doigts, leur mère qui, enfermée dans un petit carré dans le coin droit de l'écran, se grattait la nuque en cherchant quoi dire pour alimenter la conversation, l'infirmière de l'hôpital qui détournait le regard quand je lui posais des questions au sujet de ce mystérieux bouquet de fleurs, le notaire et ses imposantes colonnes en marbre, mes voisins et l'odeur nauséabonde qui s'infiltrait par le plafond, la serveuse du Cochon Dingue qui sortait et remettait son pied dans son soulier droit, Hugues qui faisait semblant d'écouter une cliente au téléphone en m'expliquant les consignes pour mon prochain mandat, Shadow et son ombre plus grande que nature, Jack qui arrivait tout le temps de nulle part, suivi d'un piiiss-hhht rafraîchissant, Hubert et Amélie qui se zieutaient depuis des années sans jamais faire avancer les choses, M. Dagenais qui était heureux de vendre des friandises qui dataient d'avant ma naissance, la BMW qui se promenait en laissant derrière elle un filet de dioxyde de carbone, puis, le marchand de sable.

Quand je me suis réveillée, tous les fantômes avaient disparu.

Je rendrais visite à mes parents. Ils étaient tous les deux dans la soixantaine avancée et même si nous étions parfaitement indépendants, la mort de Murielle m'avait fait réaliser qu'ils finiraient par partir. Je tentais de me rappeler à quel moment un précipice s'était creusé entre nous. Au secondaire, Loïc et moi passions des soirées entières enfermés entre les murs-kaléidoscopes de ma chambre d'adolescente. Le lendemain, quand je descendais les escaliers pour aller les rejoindre à table, j'avais l'impression de traverser un continent – Loïc ne me disait-il pas qu'un océan séparait ma chambre du reste du monde ? J'avais pris l'habitude de retenir mon souffle à chaque fois.

J'ai embrassé Max avant d'aller rejoindre la petite qui grattait sa guitare. Je l'ai espionnée par l'embrasure de la porte de sa chambre. J'ai reconnu les premiers accords de *These Days* des Foo Fighters. Avec mon index, j'ai flatté ses cheveux de longues secondes avant de regagner ma place auprès de Max. Je n'étais plus cette funambule que chaque coup de vent pouvait faire tomber.

Chapitre 31

Le chauffeur de taxi m'a débarquée au coin de la rue. Même si la neige avait recouvert les craques de trottoir, j'ai fait semblant de les éviter en tenant Shadow contre moi, toujours enveloppée dans sa couverture. Tous les commerces étaient fermés, mais la rue Cartier était bondée de gens venus profiter de l'ambiance rustique et des chants que la chorale d'enfants avait tant répétés. Leurs parents, qui s'étaient fait casser les oreilles toute l'année, s'efforçaient de prendre quelques clichés malgré leurs doigts gelés.

Je me suis traîné les pieds jusqu'à chez moi. Quand j'ai mis ma main sur la poignée pour y insérer la clé, la porte s'est ouverte toute seule. En avançant lentement dans l'entrée, j'ai reconnu cette odeur de quincaillerie, de peinture.

J'ai passé mon index le long du mur dans le corridor. Plus je m'approchais de ma chambre et plus l'odeur était présente. Assise sur mon lit, j'ai retiré mon manteau. Lentement, j'ai levé les yeux, les paupières lourdes comme si je me réveillais d'un coma, pour lire ce qu'avait ajouté Loïc.

« Va déposer les armes au fond des bois
Surtout ne reviens pas »

La suite, tout simplement. La suite de la chanson, la suite des choses, la suite des événements. Sur ma table de chevet, une petite boîte.

La clé de ma maison.

J'ai regardé la peinture fraîche à travers le trou de la clé, un œil fermé, relisant la phrase plusieurs fois comme pour l'enregistrer. Le livre. Il était bien là, sagement coincé entre deux ouvrages anodins de ma bibliothèque. J'ai marché jusqu'à cette série de photos de moi en noir et blanc, que j'ai fait tomber une à une en les décrochant de chaque clou chargé de les retenir. Armée d'un balai et d'un porte-poussière, j'ai ramassé tout le verre qui recouvrait le plancher.

Enfin, enfin ramasser les morceaux de moi.

Joyeux Noël, Maeve !

J'ai composé le numéro de Simone.

— Bonjour ?

— Simone ? C'est Maeve.

Il y a eu un long silence. Un silence d'un réconfort intraduisible, qui contenait toute la compassion du monde.

— J'aurais besoin d'un peu de temps au chalet.

— Oui. J'ai justement un document à aller chercher cet après-midi. Je passe te prendre si tu veux, vers 15 h ?

— Oui, 15 h, c'est parfait.

Simone est arrivée, emmitouflée dans ses vêtements colorés. Si elle n'avait pas bougé, on aurait pu la confondre avec une statue contemporaine. Ses larges épaules, sa démarche lente. Je n'aurais pas été surprise de voir un oiseau se percher sur sa tête. Elle a retiré ses verres fumés avant de me serrer contre elle. Une fois Shadow sur le siège arrière de la voiture et mes bagages dans le coffre, elle a démarré. Des gouttes de peinture tapissaient ses doigts.

— Tu travailles sur quoi?

— Une série avec des oiseaux. Des tourterelles, en fait. Il y en a de plus en plus qui se promènent devant les fenêtres de l'atelier… Qu'est-ce que tu tiens dans ce sac?

— Un plant de verveine.

Elle a laissé échapper un petit rire.

— Tu déménages ou quoi?

— Non, je… J'essaie de prendre soin de moi. Murielle disait: «Si tes plantes sont belles, je sais que tu vas bien.»

J'ai sorti ma plante du sac, jaunie, séchée, étiolée. Horrible, finalement.

— Ah oui, la ressemblance est frappante. Dis donc, tu t'es lavé les cheveux avec du blanc d'œuf ou quoi?

— Oui. Et du champagne aussi.

— T'es presque aussi folle que moi.

— Merci.

— T'as parlé à ta mère dernièrement?

— Hum, oui, hier.

— Et puis ?

— Et puis c'est ma mère, tu la connais.

— Tu devrais aller la voir de temps en temps. Elle vieillit, tu sais.

— Oui, je sais. J'avais prévu aller la voir aujourd'hui, mais…

— Mais… ?

— Mais Loïc m'a remis la clé de ma maison.

Il y eut à nouveau ce silence qu'elle n'a pas cherché à combler.

— Ce silence-là. Tu pourrais m'en enregistrer une cassette pleine ?

— Seulement si tu réussis à réchapper ton plant de verveine.

— Okay.

Ma tante connaissait Loïc depuis aussi longtemps que moi. Après ce matin d'été, il y a vingt ans, où je croyais m'être perdue dans la forêt alors que Loïc veillait sur moi, caché derrière son arbre, j'étais entrée chez elle en courant. J'avais ouvert la porte de son atelier et je m'étais précipitée sur elle. Elle avait regardé les petites traces de sang que je laissais sur son plancher et m'avait regardée d'un air interrogateur. « Je n'ai jamais vu une jeune fille ensanglantée d'aussi bonne humeur ! »

Je lui avais tout raconté pendant qu'elle me nettoyait les pieds dans la salle de bain.

— Merde, j'ai même pas dit à Max que je partais.

Ça m'était complètement sorti de la tête.

Simone s'est arrêtée à la seule épicerie ouverte que l'on a croisée sur notre chemin. J'ai rempli mon panier de crèmes de champignons en conserve, de lait, de beurre, de pain, de beurre d'arachide, de café, de thon pour le chat et de bouteilles de vin *cheap*.

— C'est ça, ton plan pour aller mieux ?

Elle a empoigné mon panier et l'a rempli de sauce à spaghetti, de mille-feuilles, de pâté de foie, de quelques fromages et de légumes. Tout ça me donnait la nausée.

Puisqu'elle insistait pour régler, j'en ai profité pour appeler Max.

— Salut.

— Salut, toi.

— Je pars quelques jours. Une semaine environ.

— Pourquoi ? C'est Noël… Tu vas où ?

— Au chalet.

— Oh, au chalet.

— Oui, toute seule. Avec le chat, je veux dire.

— Ah ben là, si t'es avec le chat, je suis rassuré.

— Faut que je règle un truc. Une fois pour toutes.

— Reviens vite.

— Tu viens ? m'a crié Simone par la fenêtre de sa jeep.

Chapitre 32

Il faisait tellement froid dans le chalet qu'il nous a fallu garder nos vêtements d'hiver. Ma tante s'est empressée de faire un feu pendant que je déposais mes sacs dans la chambre. En montant les escaliers qui menaient à la mezzanine, quelques mouches séchées ont craqué sous mes pas.

J'aurais dû m'en douter. Ils m'attendaient là, en haut. Nos fantômes. Loïc, endormi entre Fred et moi. Le joint de hasch fumait encore dans le cendrier sur la table de chevet. Fred avait étiré le bras et me caressait les cheveux distraitement en lisant Murakami, les seins dénudés, réveillés par je ne sais quel passage du livre. J'ai balancé tous mes bagages en plein dans leurs visages, puis je suis redescendue. Shadow reniflait les planches de la maison une à une et ne se préoccupait pas du bol de thon plein à ras bord que je venais de déposer près du foyer. Une fois le feu bien pris, Simone est sortie pelleter toute la neige accumulée sur le patio. Je la regardais lancer derrière elle des pelletées de cette neige collante. Même au bout de quinze minutes, elle n'avait pas diminué la cadence.

J'ai choisi un vieux vinyle de Charles Aznavour et je me suis assoupie sur le divan.

Quand je me suis réveillée, la noirceur était tombée et Aznavour avait cédé la place à une compilation de Noël. De la cuisine émanait une odeur divine que j'ai mis un moment à reconnaître. Je me suis retournée pour voir Simone qui remuait le contenu des chaudrons fumants sur la cuisinière.

— Ça te dérange pas que je reste à souper, j'espère ?

J'ai souri. J'avais l'impression d'avoir hiberné. J'ai rassemblé toutes mes forces pour ajouter quelques bûches dans le foyer, et je suis allée fouiner dans la cuisine pour voir ce qu'elle mijotait. Un spaghetti des indécis.

— J'ai trouvé un sachet de sauce Alfredo dans le garde-manger. Ça m'a rappelé ton enfance. Allez, mets-nous une table.

Une nappe à carreaux, deux assiettes dépareillées, un ouvre-bouteille, deux coupes en acier, des couteaux à beurre et deux fourchettes édentées nous ont servi de couvert de Noël. J'ai ouvert la fenêtre et j'ai étiré le bras pour attraper une branche de sapin que j'ai passée sous l'eau chaude pour nous faire un joli centre de table. J'ai fouillé toutes les armoires de la maison pour ramasser les dépouilles de chandelles qui gisaient là depuis des siècles. J'en ai allumé six qui, séparément, auraient été acceptables, mais qui une fois rassemblées étaient de très mauvais goût. Simone a déposé sur la table deux assiettes fumantes et une baguette de pain dur comme de la roche. Je nous ai versé chacune une coupe de vin, et nous avons trinqué.

— Joyeux Noël, Maeve !

— Joyeux Noël !

Je regardais mon assiette, sauce à la viande d'un côté, Alfredo de l'autre. Je l'ai dévorée en m'efforçant de ne pas mélanger les deux sauces, comme je prenais plaisir à le faire quand j'étais petite. Le vin aidant, j'ai essayé de déterminer laquelle représentait Loïc et laquelle représentait Max, mais mes arguments étaient tellement mauvais que j'ai abandonné avant le verdict. Je me suis contentée de ne pas les mélanger et j'ai léché mon assiette même si j'étais rassasiée, de peur qu'il en reste plus d'une sorte que de l'autre.

Simone s'est levée pour fouiller dans son sac à main. Elle est revenue s'asseoir à la table et m'a regardée, sourire en coin, avant de sortir un joint de derrière son oreille.

Nous avons empilé la vaisselle dans l'évier avant de passer au salon. Elle a déposé la boîte de mille-feuilles sur la table devant le foyer, puis elle s'est servie du dernier souffle d'une chandelle pour allumer le joint. Je suis allée replacer l'aiguille sur le vinyle de Noël et me suis assise à ses côtés sur le divan. Nous avons passé la soirée à nous remémorer des souvenirs et nous nous sommes toutes les trois endormies sur le divan, une fois que Shadow a eu terminé de manger les miettes de mille-feuilles.

Quand je me suis réveillée, Simone m'avait faussé compagnie. J'ai enfilé mes bottes et mon manteau, puis je suis sortie fumer une cigarette sur la galerie. La température avait augmenté radicalement. On entendait même le ruissellement de la gouttière qui se déversait sur le côté du chalet. La neige était imbibée d'eau. Des traces de pattes d'oiseaux tapissaient les rares planches de la galerie qui étaient encore enneigées. J'ai compté les traces en fumant ma cigarette : cent vingt-trois.

Sans même déjeuner, j'ai fouillé dans le garde-robe à la recherche d'un habit de neige et de raquettes et je suis partie me perdre en forêt.

« Déposer les armes au fond des bois. »

Chapitre 33

Les quatre jours qui ont suivi ont été consacrés à la lecture de Pléiades ennuyants, aux promenades en nature et à la consommation de café. Comme je m'étais promis de rentrer dès qu'il n'y en aurait plus, je l'économisais. Je devais me rendre à l'évidence : il n'en restait que pour un matin. Mon plant de verveine commençait à reprendre du poil de la bête, en même temps que moi. J'avais taillé presque toutes les feuilles à la cime et voilà que de nouvelles étaient en train d'apparaître à ses pieds.

Durant mon séjour, j'avais rassemblé tout ce qui me faisait penser à Loïc dans le chalet pour le placer dans une boîte en carton près du foyer. Chandelle, photos, cendrier, chaussettes, calendrier, crayons à mine. Tout ce qui me hantait. Tout ce qui était susceptible de devenir un fantôme de Loïc Vallières.

En dénichant une chandelle à la citronnelle dans un garde-robe, je me suis souvenu que Loïc détestait cette odeur. On chasse les vampires avec l'ail, pourquoi pas les fantômes avec la citronnelle ? Vu la mince réserve d'énergie qu'il restait sur mon cellulaire, je me suis dépêchée d'appeler Simone.

— Je viendrai te chercher demain matin.

— Tu pourrais m'apporter une bombonne de peinture noire?

— Une seule?

— Une seule.

J'ai soupé à la crème de champignons pour un quatrième soir consécutif, et, vers minuit, je suis montée sur la mezzanine pour en redescendre avec *Les Fleurs de Macadam*. Assise en indien devant le feu de foyer, j'ai lancé dans les flammes chaque objet que j'avais déposé dans la boîte en carton. En regardant fondre des photos de nous, il me semblait que les flammes m'allaient mieux qu'à lui. Je fondais naturellement, poétiquement, même. Mon corps brûlait avec grâce, avant de disparaître, avalé par les flammes. Loïc, lui, résistait. Il se recroquevillait. J'ai pris le livre dans mes mains. J'avais visualisé la scène des centaines de fois, imaginé mes mains tremblantes, mes joues parcourues de larmes intermittentes. Rien. J'ai déposé le livre dans le cœur du foyer, là où les flammes étaient les plus hautes, fermé les portes en verre puis regardé le spectacle, calme. J'attendais cette colère qui ne montait pas. Je l'ai attendue toute la soirée, en vain, avant de monter me blottir une dernière fois entre les fantômes de Fred et de Loïc, qui dormaient déjà.

Au beau milieu de la nuit, je me suis réveillée. Le feu s'était presque éteint, l'air était glacial. Les fantômes avaient disparu. Même en m'efforçant de me le remémorer, le visage de Loïc s'était dissolu. Il était parti en fumée. Je me suis passé les mains sur le visage pour mieux sentir le mien. J'ai enfilé mon manteau, puis je suis sortie sur le balcon.

J'ai crié.

Chapitre 34

C'est le tintement des assiettes dans l'évier qui m'a réveillée. Simone était arrivée. Je me suis levée et j'ai regardé le lit défait derrière moi. Les fantômes n'étaient toujours pas là. J'ai ramassé à la hâte les quelques morceaux de linge éparpillés sur le plancher, j'ai refait le lit minutieusement, et je suis allée la rejoindre. Elle était déjà assise au volant de sa jeep. Avant de fermer la porte, j'ai regardé le foyer. Il ne restait rien de nous. Rien qu'un amas de cendres et une forte odeur de citronnelle.

Nous n'avons pas échangé un mot du voyage. J'ai somnolé, entre le rêve et la réalité. Shadow dormait paisiblement sur la banquette arrière, la tête appuyée contre mon plant de verveine qui prenait un bain de soleil.

— Simone, je peux t'emprunter la voiture pour la journée?

— Quoi, tu t'es décidée à aller voir ta mère? m'a-t-elle demandé, espiègle.

— Bon, je te promets que j'irai la voir demain. J'ai quelqu'un à lui présenter. *Deal*?

— *Deal.*

Après l'avoir déposée chez elle, j'ai mis le cap sur le royaume.

La neige avait recouvert la forêt d'un drap immaculé. Le royaume, du moins ce qu'il en restait, était sans vie. J'ai sorti de la poche de mon manteau la bombonne de peinture noire, et, sur l'arbre au pied duquel nous nous étions souvent endormis, j'ai tracé les lettres de son nom, sans tréma.

« Tu es seul, désormais. »

J'ai repris la route, direction Limoilou. La température avait encore grimpé de quelques degrés. En quatre jours, la neige qui recouvrait les trottoirs avait pratiquement toute fondu. Les décorations de Noël m'apparaissaient déjà désuètes. J'ai pensé à mes voisins qui devaient en avoir profité pour sortir celles de Pâques. C'était un faux espoir, un mini-printemps que tout le monde acceptait en sachant que l'hiver se reposait pour frapper encore plus fort. Un cadeau empoisonné.

À la radio, Aretha Franklin s'époumonait. J'ai baissé les vitres et mis mes lunettes de soleil. En tournant le coin, j'ai d'abord cru que je m'étais trompée de rue.

Il s'agissait pourtant de sa maison, à laquelle Max était en train d'apposer des volets rouges.

Remerciements

Stéphane Dompierre, je ne saurais imaginer une amitié plus vraie que la nôtre; Véronique Marcotte, pour l'étincelle; Tristan Malavoy-Racine, pour m'avoir fait cracher tout ce que j'avais dans le ventre; ma famille: Maman, pour m'avoir transmis l'amour des mots, le plus beau refuge, Régis, pour le sens de la vie, Papa, pour le sens de l'humour, Micheline, pour la sensibilité, David, pour la protection, Léona, pour l'ouverture, Mélanie, pour la sagesse, Claudine et Louis, pour l'esprit de partage, Lise et Émile, pour le sens de la fête; la famille Lachance (André, Cécile, Oli, Rose, Jérôme, Fred et Phil), pour m'avoir aimée dans mes différences; Claudie Fortin, ma muse, et les sept autres filles, pour l'amour et l'indulgence; Céline de Laissardière, ma louve; Valérie Janssen, je t'admire; Vickie Bonsaint, tu m'inspires; Matthieu Dugal: quand je serai grande, je voudrais être comme toi; Gabrielle Caron, pour les précieux outils; la familia d'*Impact Campus*: J-Rod, Boogaard, Hub, Boulianne, Blondeau, Fab, De L'Ouest, Popine, Massé, Seb, Stéph, Duphily et Murray, parce que vous me donnez de l'amour chaque fois que j'en réclame; les inventeurs du café latte et des cigarettes, sans quoi je n'aurais jamais écrit ce livre; Patrick Beaulieu (Avive), pour tes graffitis qui m'ont inspiré le personnage de Maeve; Fred Jacques, tu as bercé mon adolescence; Alain Beaulieu et Anne Fonteneau, vous avez cru en moi; Les Populaires, pour la grande aventure; Geneviève Bilodeau et les clients du Caféier; Vickie Gendreau et Nelly Arcan, vous m'habiterez toujours; Christine Duguay, un jour, je t'en lirai des extraits, assise sur ta tombe.

Dans la même collection
Fredric Gary Comeau, *Vertiges*.
Sylvain David, *Faire violence*.

Suivez-nous :

GARANT DES FORÊTS
INTACTES

Achevé d'imprimer en février deux mille quatorze
sur les presses de l'imprimerie Marquis-Gagné,
Louiseville, Québec